Les Éditions du Boréal
4447, rue Saint-Denis
Montréal (Québec) H2J 2L2
www.editionsboreal.qc.ca

C'ÉTAIT AVANT LA GUERRE À L'ANSE-À-GILLES

Œuvres de Marie Laberge

Romans

Aux Éditions du Boréal

Juillet, 1989 ; coll. « Boréal compact », 1993.

Quelques Adieux, 1992 ; coll. « Boréal compact », 1997.

Le Poids des ombres, 1994 ; coll. « Boréal compact », 1999.

Annabelle, 1996 ; coll. « Boréal compact », 2001.

La Cérémonie des anges, 1998 ; coll. « Boréal compact », 2004.

Gabrielle. Le Goût du bonheur I, 2000 ; coll. « Boréal compact », 2006 ; Paris, Anne Carrière, 2003.

Adélaïde. Le Goût du bonheur II, 2001 ; coll. « Boréal compact », 2006 ; Paris, Anne Carrière, 2003.

Florent. Le Goût du bonheur III, 2000 ; coll. « Boréal compact », 2006 ; Paris, Anne Carrière, 2003.

Sans rien ni personne, 2007.

Théâtre

C'était avant la guerre à l'Anse-à-Gilles, VLB éditeur, 1981 ; Boréal, 1995.

Ils étaient venus pour…, VLB éditeur, 1981 ; Boréal, 1997.

Avec l'hiver qui s'en vient, VLB éditeur, 1982.

Jocelyne Trudelle trouvée morte dans ses larmes, VLB éditeur, 1983 ; Boréal, 1992.

Deux Tangos pour toute une vie, VLB éditeur, 1985 ; Boréal, 1993.

L'Homme gris suivi de *Éva et Évelyne,* VLB éditeur, 1986 ; Boréal, 1995.

Le Night Cap Bar, VLB éditeur, 1987 ; Boréal, 1997.

Oublier, VLB éditeur, 1987 ; Boréal, 1993.

Aurélie, ma sœur, VLB éditeur, 1988 ; Boréal, 1992.

Le Banc, VLB éditeur, 1989 ; Boréal, 1994.

Le Faucon, Boréal, 1991.

Pierre ou la Consolation, Boréal, 1992.

Pour en savoir plus : www.marielaberge.com

Marie Laberge

C'ÉTAIT AVANT LA GUERRE À L'ANSE-À-GILLES

Théâtre

Les Éditions du Boréal reconnaissent l'aide financière
du gouvernement du Canada par l'entremise du Programme d'aide
au développement de l'industrie de l'édition (PADIÉ)
pour ses activités d'édition et remercient
le Conseil des Arts du Canada pour son soutien financier.

Les Éditions du Boréal sont inscrites au Programme d'aide
aux entreprises du livre et de l'édition spécialisée de la SODEC
et bénéficient du Programme de crédit d'impôt pour l'édition
de livres du gouvernement du Québec.

Photos de la couverture et de l'intérieur : Patrick Bergé, de Scéno-Plus.

Dépôt légal : 2e trimestre 1995
Bibliothèque nationale du Québec

Diffusion au Canada : Dimedia

Catalogage avant publication de Bibliothèque et Archives Canada

Laberge, Marie, 1950-

C'était avant la guerre à l'Anse-à-Gilles
Éd. originale : Montréal : VLB 1981.
Pièce de théâtre.

ISBN 2-89052-653-4

I. Titre.

PS8573.A1688C38 1995 C842'.54 C95-940880-0
PS9573.A1688C38 1995
PS3919. 2.L32C38 1995

À Rita Ménard

et à Madame Belleau.

C'était avant la guerre à l'Anse-à-Gilles
de Marie Laberge
a été créée à Montréal
le jeudi 15 janvier 1981
à la salle Fred-Barry
de la Nouvelle Compagnie Théâtrale
directeur artistique, Jean-Luc Bastien
dans une mise en scène de Lorraine Pintal
assistée de Pierre Saint-Amant
une scénographie de Pierre Labonté
des costumes de Michel-André Thibeault
une musique de Pierre Moreau
et la voix de Louise Saint-Pierre.

Distribution

Christiane Raymond	*Marianna*
Michel Daigle	*Honoré*
Monique Spaziani	*Rosalie*
Luce Guilbeault	*Mina*

Les personnages

Marianna
29 ans.
Veuve de Batiste Bédard.
Fait des lavages et repassages à sa maison pour les gens aisés du village.

Honoré
37 ans.
Homme engagé des Levasseur. Jardinier de son état, travaille aussi ailleurs à l'occasion.

Rosalie
19 ans.
Orpheline, travaille comme servante chez des «gens bien» (genre avocat) du village. Très belle et très inexpérimentée.

Mina
58 ans d'âge et de mentalité.
Tante de Marianna. Genre coriace qui ne se laisse pas mener par le bout du nez. Reste sur la terre où elle a passé sa vie.

Le décor

1936. L'Anse-à-Gilles

Toute la pièce se passe dans la cuisine de Marianna. Ça peut être une cuisine d'été comme on dit. Il est important de voir derrière le mur du fond de la scène. Le seul élément réaliste nécessaire est le poêle sur lequel chauffent les fers à repasser de Marianna. Un petit poêle à deux ponts ou un genre annexe *moins encombrant que le* L'Islet : Bélanger Royal *peut faire l'affaire.*

La cuisine peut être dans un style de solarium. L'important, c'est qu'on puisse voir les draps qui forment l'arrière-plan : ceux-ci, disposés en quatre rangées parallèles, représentent les quatre saisons de l'an 1936. Le scénographe décidera de la façon de transmettre les saisons. Mais il est important que celles-ci soient sur les draps qui, d'une corde à l'autre, indiquent le temps qui passe.

La porte d'entrée n'est pas essentielle. On peut facilement voir les gens arriver d'une entrée invisible. La fenêtre par contre est importante. Sauf, bien sûr, si l'idée du solarium avec ses multiples carreaux est prise.

L'horloge du début doit s'entendre, pas obligatoirement se voir.

Le réalisme de la pièce est évident dans les dialogues ; c'est pourquoi, sans pour autant se passer de table et de chaises, il n'est pas essentiel de le soutenir dans la scénographie par des murs trop présents, par exemple.

L'Anse-à-Gilles est une campagne du bord du fleuve dans le comté de Montmagny, près de Cap Saint-Ignace et de L'Islet.

Première partie

On entend une horloge sonner dix heures. Marianna lève la tête de son ouvrage, toute surprise. On entend frapper.

HONORÉ

Marianna! Marianna!... J'viens vous porter l'butin des Levasseur! (*Il passe la tête par la porte.*) J'vous laisse ça ici, là. (*Il le pose par terre à bout de bras.*)

MARIANNA

Ben rentrez, Honoré! Restez pas là comme un pardu!

HONORÉ

Ah, j'ose pas, Marianna, j'ose pas!... J'ai mes vieux suyers d'bœuf, là, pour l'ouvrage...

MARIANNA

Pis? Pis? J'ai pas coutume de vous voir arriver en bottines à boutons même pas craquées! Qué cé qui vous prend d'faire el fier à matin, Honoré? Quand j'vois ça, continuez d'même pis j'vas m'sentir obligée d'enlever mon tablier comme pour el curé.

HONORÉ

Ben non, Marianna, enlevez-lé pas: on dirait toujours que vous v'nez de l'laver.

MARIANNA

Ça? Ben, vous êtes complimenteux à matin, Honoré. Un vieux tablier d'même, à peine si j'irais détendre mes draps douhors avec.

HONORÉ

Ben vous devriez, Marianna: ça pourrait vous sarvir d'exemple à savoir si vos draps sont ben blancs.

MARIANNA

J'ai pas besoin d'un tablier pour savoir ça, moi. J'ai ça dans l'œil el blanc! Quand j'vois l'drap ben étend sua corde, en plein soleil, j'ai rien qu'à lorgner un peu sus l'harbe, pis si ça m'fait cligner de r'venir au drap, c'est qu'y est ben blanc!... Ben assisez-vous, Honoré, restez pas là dret comme un piquette. Mettez vot' calotte sua table pis bourrez-vous une pipe. Z'avez ben une menute?

HONORÉ

Ah, c'est pas de r'fus, Marianna, c'est pas de r'fus... pour dire, là, j'ai ben mérité d'prendre mon resse, moi. Mais empêchez-vous pas d'travailler pour moi, par exemple.

MARIANNA

J'ai pas coutume d'arrêter tant que j'vois pas l'fond du panier. Au temps qu'y fait, vous avez dû commencer à barre du jour vous avec, Honoré?

HONORÉ

À barre, çartain! J't'ai un mechant projet pour la plate-bande des Levasseur, moi!

MARIANNA

Ah oui ? Qué cé qu'vous leu faites, donc ? Vous êtes parti en grande à matin ?

HONORÉ

Ben, j'ai jasé de t'ça avec monsieur Levasseur, là, pis on va relever un peu la plate-bande jusqu'au tennis, pis j'm'en vas leu sumer des fleurs par là-d'sus, comme y en auront jamais vues ! Seulement, c'est d'l'ouvrage en vernol : rien qu'à matin, j'ai barouetté une quinzaine de voyages de terre, pis chus pas guère avancé.

MARIANNA

Franchement, Honoré, pourquoi cé faire que vous les partez dans des histoires de même ? Y ont ben besoin d'avoir la plate-bande jusqu'au tennis ! Voir si ça les dérange, ça, que vous vous donniez des ampoules pis des échappes pour leu z-embellir la vue.

HONORÉ

Marianna, moi, mon plaisir dans vie, c'est les fleurs. J'passerais des heures à les penser, pis à les sumer, les arroser pis les regarder. Y a une bonne heure pour chaque fleur. Pis c'est pas n'import-en-quelle qui fait n'importe-you. Y faut leu trouver leu place, pis les installer avec celles qui font leu z-afféres : sans ça, moi j'dis qu'c'est sans dessein d'avoir des fleurs, aussi ben sumer du blé d'Inde partout !

MARIANNA

Ben oui, mais moi j'pensais qu'vous étiez ben plusse engagé pour el blé d'Inde pis les tomates que pour les plates-bandes de fleurs.

HONORÉ

Beau dommage que c'est pour ça!

MARIANNA

Pis vous passez vos grand' journées à faire des plates-bandes?

HONORÉ

Ça Marianna, c'est jusse signe que j'sais y fére.

MARIANNA

Vous faites el finfinaud, là: c'est comme rien qu'vous avez patenté d'quoi.

HONORÉ

Vous avez pas eu vent de t'ça, vous, qu'les Levasseur pensaient d'engager un élève jardinier à l'été?

MARIANNA

Ah bon... l'chat sort du sac! C'est de t'ça qu'a parlait tante Mina après la grand'messe, hier.

HONORÉ

De l'élève? Y est pas encôr là... j'vois pas c'que tante Mina pouvait ben en dire... encore que... tant qu'y est pas là, les gensses ont ben en belle d'en parler. Y va commencer dans un mois d'icitte, vers la fin-mai.

MARIANNA

Dans l'jardin avec les p'tits pois pis la rhubarbe, han Honoré?

HONORÉ

En plein ça, Marianna! Ça fait longtemps qu'a m'fatique c'te plate-bande-là: ben, j'ai ronné mon affaire à bonne fin avec monsieur Levasseur, pis j'me r'trouve à faire en plein c'que j'aime. Tout l'monde est content. Y a pas d'mal à ça, pensez pas?

MARIANNA

C'est sûr que vu d'même... ça n'en fait un d'plusse à gagner... Prendriez-vous un café, Honoré? J'ai un p'tit restant, là, qui d'mande rien qu'à servir.

HONORÉ

Ah, ben, si vous charchez preneur, j'veux ben! *(Il regarde la tarte sur la table.)* Vous prenez l'temps d'faire pâtisserie en plein commencement d'semaine de même...

MARIANNA

Ben quoi? C'est pas maigre et jeûne, y a pas d'raison d'se priver. C't'une p'tite tarte au sucre... j'ai la main d'accoutume.

HONORÉ

Ah, a r'garde ben... j's'rais pas inquète si j'tais d'vous: a doit être bonne.

MARIANNA

Coût don, Honoré, en voulez-vous un morceau?

HONORÉ

Ben non, voyons, est même pas entamée.

MARIANNA

Pis? Pis? Si c'est pas vous, ça s'ra quequ'un d'aut'... faudra ben l'entamer un moment donné. J'pensais pas d'la garder pour la Fête-Dieu, vous savez.

HONORÉ

Ah ben, si vous faites pas d'cas de l'entamer pour moé, j'en prendrais ben un morceau. Jusse pour dire que j'me sucre el bec.

Marianna lui sert un morceau.

HONORÉ

Pis vous? Ça vous tente pas? Vous allez pas m'laisser y goûter tu-seu?

MARIANNA

J'vous dirai ben que j'trouve ça un peu d'bonne heure pour el sucré.

HONORÉ

Est bonne en vernol, Marianna. Est meilleure que celle à ma mère, c'est pas peu dire han?

MARIANNA

Ouain... vous avez d'la façon à matin, Honoré. Continuez sus vot'allant pis vous allez pouvoir partir avec la tarte.

HONORÉ

J'prendrais ben la ménagère avec, tant qu'à faire.

MARIANNA

Là j'trouve que vous ambitionnez sus l'pain béni, Honoré.

HONORÉ

Ça veut jusse dire que vous êtes bonne à marier, comme on dit, sans avoir besoin d'un cours ménager des bonnes sœurs.

MARIANNA

J'espère ben: y est faite, mon cours! Où c'est qu'vous pensez qu'j'ai appris à r'passer, vous? Pis à r'priser avec des p'tits points qui paraissent même pas au soleil, pis à mette jusse c'qu'y faut d'emplois pis d'bleu à laver...

HONORÉ

J'pensais que vous saviez toute ça de vous aut' mêmes, les femmes.

MARIANNA

La tarte au sucre, le r'prisage pis le r'passage, on a pas ça écrit dans l'sang, vous savez, ça s'apprend, pis din fois, c'est long. Saviez-vous l'nom d'toutes les fleurs dret à naissance vous?

HONORÉ

Non, ben sûr que non... j'ai appris à force d'en voir, pis d'aimer ça, pis dé r'garder.

MARIANNA

Pareil à nous aut', Honoré, ni plus ni moins qu'pareil à nous aut'. Même les sœurs, y é-z-ont appris leu priéres, y é savaient pas par cœur en partant. Toute s'apprend, Honoré, toute! Y a pas grand'chose qu'on sait faire de même sus l'allant d'la naissance: chanter, p'tête, pis rire...

HONORÉ

Ouais, vous avez ben qu'trop raison, Marianna. M'en vas jongler à ça, t'à l'heure en r'virant les mottes de terre sus ma plate-bande. J'en ai ben jusqu'à fin du jour à toute organiser ça correque dans ma tête. Vous êtes d'adon pour déranger un homme vous, Marianna.

MARIANNA

Ben voyons, Honoré, ça vous était pas v'nu à l'esprit, pis c'est toute.

HONORÉ

Chus pas sûr que ça s'rait v'nu tu-seul, Marianna. Vous avez l'don de dire des afféres importantes, vous.

MARIANNA

Si c'est des manigances pour avoir d'aut' tarte, là, vous pouvez l'demander plus direct, Honoré: pas besoin de m'farcir de compliments d'même.

HONORÉ

Comme de raison, vous l'prenez à pic: c'est pas par malice que j'disais ça. En toué cas, m'en vas r'tourner à mon ouvrage moi là, pis j'vas arrêter d'vous faire parde du temps.

MARIANNA

J'ai pas pardu d'temps: vous voyez ben, j'viens

d'donner la darnière main au linge de lit de madame Barnier. C'est prête à être emporté!

HONORÉ

Vous avez commencé d'bonne heure çartain, vous! Ça m'surprendrait pas d'savoir que vous étiez à première basse messe... Mais d'un aut' côté, vous avez ben en belle de travailler à vos heures.

MARIANNA

M'as vous dire, mes heures, là, ça veut dire travailler tout l'temps si j'veux arriver à fin du mois. Ben rien qu'mes dimanches que j'sauve.

HONORÉ

Vous allez vous abîmer à travailler d'même Marianna, c'est-y d'valeur un peu.

MARIANNA

Ben voyons donc, Honoré, y en a des plusse à plaindre que moé de par les temps qui courent: pensez à ceusses qui sont en usine.

HONORÉ

Je l'sais ben, mais moé, c'est quand vous, vous travaillez que j'aime pas ça.

MARIANNA

Mais j'ai ma maison, j'resse sus l'bien familial. J'aurais pu la vendre, mais j'aime autant travailler pis la garder.

HONORÉ

Là-d'sus, j'vous comprends ben. Bon, ben, mercredi, comme d'accoutume?

MARIANNA

C'est ça, Honoré, à mercredi. Vous pouvez vous fier qu'ça va être prête.

HONORÉ

Y a pas d'soin! Bonjour Marianna, pis marci pour le café pis la tarte.

MARIANNA

Ça m'a faite plaisir, Honoré. Ben l'bonjour à madame Levasseur.

Honoré s'en va. Marianna prend la poche des Levasseur et se dirige derrière.

MARIANNA

Bon, allons-y pour les Levasseur!

On entend un chien japper. Marianna s'approche de la fenêtre et tasse un peu le rideau pour «scèner».

MARIANNA

Cré Honoré! Ça fait ben cinq ans qu'y passe là, pis l'chien des Bolduc y court encôr après: c't'à crère qu'y maraude dans l'coin la nuitte... Ouin... si c'est pas Rosalie qui arrive à pleine course. Veux-tu ben m'dire c'qu'a l'a d'neuf à matin pour aller si vite?

Rosalie entre tout essoufflée.

ROSALIE

Marianna! Ouf! Que j'ai eu peur que tu soyes déjà sus l'chemin du magasin.

MARIANNA

Prends sus toi, Rosalie, c'est lundi. J'ai d'la job en masse. C'pas l'jour pour aller placoter au magasin.

ROSALIE

C'est ben qu'trop vrai! Chez tante Mina est pas là?

MARIANNA

Comme tu vois... a va r'soudre après dîner çartain. S'tu elle que tu veux voir? T'as l'air proche de tomber din convulsions. Assis-toé, pis dépâme un peu Rosalie.

ROSALIE

Ben oui, han? Chus pas mal mêlée à matin. C'est la lettre qui m'a mis toute à l'envers. Y a rien d'bon à fére avec moé aujourd'hui.

MARIANNA

La lettre? Quelle lettre? Coût don, Rosalie, as-tu gagné le Derby? À part de t'ça y a même pas d'malle aujourd'hui: d'où cé qu'a t'vient c'te lettre-là?

ROSALIE

Ah, Marianna, pose pas toutes tes questions du

même coup : j'ai assez pardu l'nord de même. La lettre, là, a vieņt d'Sainte-Anne. Du Collège Sainte-Anne !

MARIANNA

Ah oui ? Qui c'est qui t'écrit de d'là ? Tu connais du monde instruit, toi ?

ROSALIE

Je l'savais pas, mais ça ben d'l'air. C'est monsieur qui avait la lettre sus lui. Y avait oublié d'ma donner, imagine-toi donc ! Y l'avait de jeudi passé, pis tout c'temps-là, moi, j'm'en doutais pas pantoute !

MARIANNA

Rosalie ! Fais pas exiprès de m'faire enrager. Vas-tu l'dire c'est qui qui t'écrit ?

ROSALIE

Ben sûr... c'est Florent Dubé!

MARIANNA

Florent Dubé ?

ROSALIE

Tu l'cré-tu ? Ça pas grand'bon sens, han ? Penses-tu que j'devrais y renvoyer ?

MARIANNA

Y renvoyer quoi ? Y avait-tu oublié d'quoi ? Pis à part de t'ça, d'où cé qui vient, don, lui ? J'le r'place pas pantoute.

ROSALIE

Ben voyons, Marianna! Florent Dubé, là! Qui étudie avec el deuxième de madame, pis qui vient presque d'Rimouski. Tu sais ben... y est v'nu fêter la mi-carême avec Edmond. Monsieur pis madame l'avaient invité. Y était même supposé de v'nir à Pâques, pis ça d'l'air qu'y s'est rendu dans sa famille à place.

MARIANNA

Ah oui, Florent Dubé! Des Dubé du côté du beau-frère à madame... oui, oui, oui, ben sûr, ben sûr... j'vois cé qui, là... En seulement, heu... qué cé qu'y t'veut?

ROSALIE

Mande pas si j'tais surprise, han? Pis monsieur, don! Y voulait savoir, y me r'gardait prendre la lettre. Écoute un peu: la sarvante qui r'çoit d'la malle asteure! Pis d'la malle de Sainte-Anne, s'y vous plaît! Y a eu l'front de m'demander si j'savais lire, pis si j'voulais qu'y m'a lise!

MARIANNA

Dis pas ça, Rosalie, y était p'tête ben intentionné. Pis? Toujours?

ROSALIE

J'y ai dit: Non marci, monsieur, mais j'sais lire. Pis chus partie sans d'mander mon resse. Pour une fois que j'pouvais leu faire voir que chus pas simplette.

MARIANNA

Pis? Qué cé qu'y veut, Florent Dubé?

ROSALIE

Rien! Y veut jusse me dire qu'y était en-chan-té de faire ma connaissance. Pis qu'y avait espérance que j'allais bien. Qué cé qu't'en penses, toé, Marianna? Pourquoi cé fére qu'y dit ça? Chus-tu supposée d'y répond? Comment j'vas faire mon compte? Penses-tu qu'y a dans son idée d'être mon cavalier?

MARIANNA

Mon Dieu, mon Dieu! Y a écrit ça? Y veut t'dire qu'y est enchanté?

ROSALIE

Oui, oui: enchanté d'avoir faite ma connaissance! Parsonne m'a jamais dit des mots d'même, moi. J'ai toute el cœur à l'envers! Sans compter qu'y est pas mal de sa parsonne: grand, fort, instruit avec ça.

MARIANNA

Ben oui, mais c'est ben en quoi, Rosalie: comment c'qu'y fait son compte pour dire qu'y a faite ta connaissance? Y t'a jusse vue dans maison, à faire ta besogne... soit dit sans t'faire de peine, c'est pas c'qu'on appelle faire connaissance.

ROSALIE

Je l'sais ben, Marianna: j'connais les maniéres du monde aussi ben qu'les aut'. Non, non, c'est quand j'avais les trois p'tits avec moé, dehors dans l'après-medi: les deux gars, Edmond pis Florent, sont v'nus avec leu déguisements de micarême faire peur aux enfants, pis à moé par la même occasion. On virait en rond en chantant: trois fois passera... quand quequ'un m'prend par surprise, pis m'fait Hou Hou din z'oreilles. J'me r'tourne pis j'vois c'te face de mi-carême-là. Me v'là tout pâmée, pis lui, c'tait Florent, y était toute mal à son aise d'avoir si ben réussi son coup. Pis v'là Marie-Geneviève qui s'met à brailler, pis les aut' qui font pareil. Au boutte du compte, les gars ont faite assez d'grimaces pis d'folleries que tout l'monde riait. Un coup ben parti, y fallait rentrer à cause que les p'tits étaient gelés pis madame avait dit: pas plusse de quarante minutes, Rosalie, vous entendez? Comme si j's'rais dure d'oreille comme chez tante Mina!

MARIANNA

J'commence à comprendre, là.

ROSALIE

C'pas toute! Y avaient ben en belle de partir faire les fous ailleurs, mais y ont voulu rentrer avec les p'tits, pis prendre du lait chaud pis toute dans cuisine. Pis y ont pas fait voir que ça les dérangeait: on a ri encôr une bonne escousse, pis après, ben, y sont partis avec d'aut' jeunesses pendant que j'm'attelais sus mes chaudrons.

MARIANNA

Tu m'avais jamais conté ça, toi, Rosalie.

ROSALIE

J'pensais pas que c'tait important, moi! J'ai même pas pensé à r'garder la couleur de ses yeux... avoir su...

MARIANNA

Rosalie... y t'a pas faite la grande demande, là: fais-toé pas trop d'imaginations. Tu t'vois déjà dans l'rang des Belles-Amours. Ben jusse si ta parure de chambre en célaneese est pas en commande.

ROSALIE

Pis? Ton idée? Faut-tu qu'j'y fasse réponse? Pis comment?

MARIANNA

Sais-tu ben qu'c'est malaisé à dire, Rosalie... chus ben en peine de t'réponde... j'resse sus l'impression que c't'une lettre de courtoisie qu'y appellent, mais une lettre qui attend pas réponse.

ROSALIE

Ben, c'est pas tellement de courtoisie, ça, pas répondre.

MARIANNA

Pis à part de t'ça, c'tu dans l'réglement, ça, d'écrire pis de r'cevoir des lettres? M'est avis qu'y ont des défenses rapport aux fréquentations pis aux échanges avec les femmes...

ROSALIE

C'est ben qu'trop vrai! J'pense qu'y ont pas d'afféré à écrire à parsonne d'aut' que la famille.

MARIANNA

Ben d'abord, t'as rien qu'un afféré à fére: grouille pas!

ROSALIE

Mais lui, si y s'morfond en attendant une réponse?

MARIANNA

M'est avis qu'c'est toé qui s'morfonds déjà: y connaît son réglement, ça va l'adonner d'pas s'fére chicaner rapport à sa conduite. C'est comme d'y rendre sarvice, Rosalie.

ROSALIE

Ben sûr, Marianna... j'vas fére à ton idée. Pourvu qu'y y voye pas d'mal...

MARIANNA

Y va s'compter chanceux que toi, tu y voyes pas d'mal.

ROSALIE

Pourquoi cé fére?

MARIANNA

Ben... ça peut fére bavasser, pis monsieur pis madame pourraient t'fére des tracasseries avec c't'histoére-là.

ROSALIE

Y ont pas d'affaire avec ça, eux aut'; c'est privé, ça, ça les r'garde pas. Que j'les voye v'nir mette leu nez dans mes afféres de cœur!

MARIANNA

C'est parce que c'est des gensses de leu milieu, c't'un parent d'la famille de madame.

ROSALIE

Pis après ? Tout l'monde tire pas du grand comme eux aut'. Pis c'est ben tant mieux!

MARIANNA

Toute c'que j'espère, c'est qu'ça soye pas d'la malfaisance, Rosalie. Même si y a d'l'air d'un bon garçon, resse à ta place, pis prends patience : el temps dira c'qui en est.

ROSALIE

Prends patience ! Pour une fois qui y a apparence de galanterie.

MARIANNA

Justement : à mon idée, c'est là qu'on va voir si c'est d'la vrée galanterie.

ROSALIE

T'es déjà partie sus l'train d'y voir des mauvaises intentions, Marianna !

MARIANNA

J'ai pas dit ça, Rosalie : j'veux jusse te mette sus tes gardes rapport à ta réputation.

ROSALIE

Ben tu sauras qu'chus moins en peine que toi, Marianna : sus l'train qu'y va, Honoré est parti pour t'en faire une belle de réputation !

MARIANNA

Honoré! Qué cé qu'ça vient fére là-d'dans, ça, Honoré ?

ROSALIE

Ben oui, Honoré. Qui rentre icitte comme chez eux, pis qui jase, pis qui a presquement son fauteuil dans place. Penses-tu qu'ça s'jase pas, ça, Marianna?

MARIANNA

Ben voyons donc, Rosalie. Tu peux pas empêcher les mauvaises langues de parler: c'est toute c'que ça veut dire. En seulement, moé, chus veuve, pis toé, ben t'as pas encôr coiffé la Sainte-Catherine, pis t'es t'engagère parce que t'as pas d'quoi vivre, pis en plusse de toute t'as pas d'famille: ça fa que, mon idée, c'est qu'y t'faut ménager ta réputation, pis voir à ton affére dré là!

ROSALIE

Je l'sais ben, Marianna, mais c'est la première fois qu'ça m'arrive. Fa que, ben sûr, me sus mis à rêver.

MARIANNA

Rêve en masse: tant qu'ça nuit pas à ton ouvrage. C'est l'printemps d'abord, t'as ben en belle!

ROSALIE

Pis j'me priverai pas de t'ça. Ben assez que j'peux pas y répond. Penses-tu qu'y va v'nir dans région à l'été? Pour les grandes vacances?

MARIANNA

On va ben voir! Prends patience!

On entend une cloche d'église.

MARIANNA

Sainte bénite ! C'tu l'angélus ? Déjà ?

ROSALIE

C't'à crère que oui ! Pis moé qui étais partie qu'ri du lait... pourvu qu'madame aye rien vu d'pas catholique dans mon affére. C'est rendu qu'à m'tient serrée !

MARIANNA

J'me sus mis en r'tard avec. J'ai pas une brassée d'faite sus l'butin d'madame Levasseur. Pis chez tante Mina va ben passer après-medi. Ouste ! Vois à ton affére si tu veux pas avoir du trouble, pis donne-moé des nouvelles, han ?

ROSALIE

J'vas assayer d'passer après la priére du soir.

MARIANNA

M'as t'espérer.

Elles sortent ensemble. L'éclairage change : noir, puis fin d'après-midi. Tante Mina est dans la chaise berçante, un reprisage à la main. Marianna repasse encore.

MINA

C'est pas qu'c'est une mauvaise fille, là, un méchant parti, en seulement, ça l'a pas d'maniére : pas d'respect pour parsonne, la reponse toujours prête entends-tu, même qu'a répond à son mari. C't'à s'demander si a l'a été élevée.

MARIANNA

Vous savez aussi ben qu'moi d'où cé qu'a vient, tante Mina : vous pouvez pas y r'noter d'quoi sus l'éducation.

MINA

Oui, oui, c'est sûr : bonne famille, du bien en masse, quasiment élevée sus les sœurs, mais cé qu'tu veux, Marianna, a m'fait pas à face ! J'trouve qu'a l'a pas d'génie pantoute !

MARIANNA

Mais c'est Albert qui l'a mariée, tante Mina, pas vous !

MINA

Je l'sais ben qu'trop ! Mais c'est tout comme : c'est moé qui vis avec. Me sus pas donnée à elle, mais c'est d'même pareil. La maison qui était la mienne y a pas si longtemps, c'est la sienne à l'heure qu'il est. Moi, j'ai pus rien à dire : à manger pis à coucher, pis compte-toi chanceuse. Albert, lui, y a ben en belle d'la trouver d'son goût, y a voit presquement jamais : c'est moé qui l'a dans face à longueur de journée... Pis est rousse en plusse, pas loin du rouge, ça l'a-tu du bon sens ? Déjà qu'Cyprien est d'la même couleur qu'elle : on les dirait jamais d'la famille ces deux-là.

MARIANNA

Laissez v'nir l'autre, tante Mina, y s'ra p'tête plusse à vot' goût !

MINA

J'vois pas c'qui viendrait d'elle qui pourrait être de mon goût... j'sais qu'c'est pas ben chrétien, Marianna, mais c'est d'même. Pis comme chus pas femme à cacher mes sentiments, l'humeur d'la maisonnée s'en ressent.

MARIANNA

Vous d'vez ben savoir que c'est pas rare que les brus pis les belles-mères aiment à s'astiner: l'curé a dû vous l'dire.

MINA

L'curé y prêche patience: c'est toute c'qu'y sait dire, lui! Y m'a dit ça toute ma vie. Penses-tu qu'y parle de patience rapport à ma fin derniére, toi?

MARIANNA

Ben voyons, tante Mina, y disait pas ça!

MINA

Y est aussi ben! Chus parée à être patiente en masse. C'est pas dit que j'vas clairer la place aussi vite, parce que j'ai une bru qui a pas d'génie.

MARIANNA

Vous mettez ça pire que c'est, tante Mina, vous faites exiprès d'vous exciter sus elle.

MINA

Tant qu'à y être, dis donc que j'passe mon temps à y charcher des poux! J'ai d'aut' chose à faire, moi, ma p'tite fille. Est assez emplâtre, pas capable de rien faire, ben jusse bonne pour es déménager d'place quand j'm'adonne à ballier en d'sour de sa chaise.

MARIANNA

Ben a doit être avancée, là. C'est sûr que c'est moins facile pour elle, c't'encombrant...

MINA

Sept mois d'faites, pis a n'en fait des maniéres! C't'à crère que c'est la première femme au monde à acheter. Pis Albert est pas plus fin, lui, y est à son sarvice, y a pas d'soin.

MARIANNA

Est pas forte, forte, avec la grippe qu'a vient jusse de r'lever de c't'hiver.

MINA

Qu'a s'habille, qu'a s'chausse les pieds, qu'a prenne de l'oignon chauffé dans l'miel, un point c'est toute. J'en ai mis des enfants au monde, moé, a viendra pas m'apprendre c'que c'est. Non, non, c'est des maniéres pour qu'on s'occupe d'elle, ça. Est rendue qu'a s'occupe pus pantoute de Cyprien: pis y est aussi accaparant qu'elle. El prochain, c'est aussi ben d'être une fille que j'aye de l'aide un peu.

MARIANNA

Ben là, tante Mina, vous allez être obligée d'prendre patience pour de vrai! Va falloir y donner une chance c't'enfant-là... mettons, jusqu'à cinq, six ans.

MINA

Toute c'que j'y d'mande, c'est de r'tenir un peu des Bernier, qu'on se r'connaisse, bonté!

MARIANNA

A l'aura toujours ben l'nom...

MINA

Ben c't'au moins ça! Mais si c'est une fille, ça s'ra pas son vrai nom.

MARIANNA

C'est pas dit, ça, tante Mina, c'est pas dit. Y en a d'nos jours qui s'marient pas.

MINA

Des sans dessein! Quand t'es même pas capable de t'trouver un mari, laisse-moi t'dire que t'es pas bonne à grand-chose. Sauf, ben entendu, si c'est d'la vocation... mais là, tu gardes pas plusse ton nom.

MARIANNA

P'tête qu'y faudrait pas dire ça, tante Mina. C'pas un déshonneur vous savez de pas s'marier.

MINA

Qué cé qu'ça peut ben être d'aut, veux-tu ben me l'dire?... J'vois pas pantoute l'intérêt qui y a à pas s'marier. Arrange ça comme tu voudras, le mot l'dit: on *resse* vieille fille: on se r'trouve pas d'mari pis on s'sent pas appelée par Dieu. Tu viendras pas m'faire accrère qu'on choisit d'être *rien,* pis à parsonne: ni à Dieu, ni à homme?

Voyons donc Marianna: monter en graine, c'pas un bute, ça, dans vie!

MARIANNA

J'veux rien qu'dire qu'y a du ben bon monde qui reste fille, que c'est pas toujours des laissées-pour-compte, heu...

MINA

C'est sûr... c'est sûr... j'dis pas qu'c'est des parsonnes sans valeur, là... non, non, la preuve: y a la ménagère du curé, les demoiselles Ferland du rang Croche... mais eux aut' y étaient tellement pauvres, pis avec les parents malades qui ont eus... tu vois ben c'est pas courant, y a toujours une raison d'pas s'marier, une maniére d'excuse.

MARIANNA

Ben moé, à mon idée, c'est possible qu'une parsonne aye pas envie de s'marier. Qu'a soye pas intéressée que j'dirais, pas jusse pas d'mandée.

MINA

Ah ben là, tu parles de quequ'un qui a pas trouvé son homme, Marianna.

MARIANNA

Mais p'tête qu'y a des femmes qui en ont pas d'homme... ni Dieu, ni un homme.

MINA

Qui s'raient prévues pour être tu-seules? Jamais

d'la vie! Dieu est pas assez sans-cœur pour ça, Marianna. Chaque torchon trouve sa guenille. En douhors de t'ça, si une femme dit non au mariage sans arrêt, c'est parce qu'a l'a l'vice dans tête. Est pas catholique, tu peux être sûre de t'ça!

MARIANNA

Ben, chus pas d'vot' sentiment là-d'sus, tante Mina. J'pense qu'y faut pas vivre en arriére de son temps: ça s'fait ça, dans les grand'villes, pas s'marier, pis c'est pas vu comme un vice.

MINA

C'est ça! Range-toi don du bord de celles qui portent pas d'gants pis qui d'mandent de s'élever au rang d'l'homme. Fais don comme les suffragettes qui s'esquintent pis qui pardent leu foi à d'mander à voter: toute c'qui va t'arriver, c'est qu'tu vas parde ton âme, ma p'tite fille. Pis toute ça parce que t'es tombée veuve trop d'bonne heure.

MARIANNA

Ça l'a rien à voir, tante Mina. J'pardrais pas mon âme parce que je pourrais voter: on vote ben pour el régime fédéral.

MINA

Tu voé c'que ça donne, aussi! Les quatre darniéres années, c'tait un conservateur, pis un anglais en plusse. Toute c'qu'y savait fére, c'est protéger ceusses de sa sorte, pis ruiner la province. Si les femmes avaient pas voté, Mackenzie King aurait pas eu l'déshonneur de parde sa place pendant quatre ans. Encore heureux que l'bon sens leu soye er'venu l'automne passé, pis qu'y aye débarqué c'te Binette-là. De quoi c'qu'on avait l'air, j'te l'demande?

MARIANNA

Tante Mina, vous mélangez toute: c'pas à cause des femmes que Mackenzie King était pas au pouvoir...

MINA

C't'à cause d'la crise. Ben toute c'qu'y a trouvé d'fin à fére, el conservateur, c'est mettre la province dans l'trou en vidant nos campagnes. Pis ça, ça laisse des traces, qu'on l'veuille ou non. R'garde-toé, Marianna, t'es presquement prête à paqueter tes p'tits pis à t'en aller en ville, comme ton imbécile de frére. Si t'avais un mari aussi, ça s'passerait pas d'même.

MARIANNA

Mon mari est mort v'là six ans, tante Mina, qu'y r'pose en paix. Mais c'est pas en soupirant après qu'on va l'faire er'venir.

MINA

Je l'sais ben, ma pauv' enfant, je l'sais ben. Mais tant qu'à t'voir prendre el bord de ces femmes-là, j'aimerais autant qu'tu soyes aussi sans dessein qu'la rousse d'Albert.

MARIANNA

Si ça peut vous décider à la trouver à vot'goût, chus ben prête à m'rendre à Québec pour demander à voter.

MINA

Tu régleras pas ça d'même, j't'en passe un papier. J'vas t'envoyer l'curé, moé, y va t'parler ça s'ra pas long. Y va te r'mette l'esprit en place, lui.

MARIANNA

Pas besoin du curé, tante Mina, vous répétez déjà toute es c'qu'y dit du haut d'sa chaire.

MINA

Ben, ça l'air que c'pas assez de l'dire une fois au sarmon... si tu veux mon idée, Marianna, t'as besoin de te r'marier: ça t'fait pas d'être toute fin seule icitte.

MARIANNA

Ça y est! Tante Mina, vous allez vous fatiquer pour à rien à essayer de m'trouver un prétendant. J'ai déjà été mariée une fois, c't'en masse.

MINA

Mais tu peux pas vivre dans l'chagrin toute ta vie, ma pauvr'enfant. Te r'marier, ça veut pas dire oublier l'premier, ça veut dire s'organiser pour survivre. Y a parsonne qui va voir du mal à ça. À ton âge, t'es ben trop jeune pour pus être prenable.

MARIANNA

Mais chus pas misérable: j'ai des amis, des livres, d'l'ouvrage en masse.

MINA

Faire des lavages! R'passer les afféres intimes pis parsonnelles des aut'! Tu vas vieillir avant ton temps, tu vas t'rachever à faire ça. Pis tes amis... une orpheline qu'on sait pas d'oùsqu'à vient, élevée sus a charité publique, sarvante en plusse, pis un homme engagé. Coût don, tu l'vois-tu encôr, Honoré, comment c'qu'y va?

MARIANNA

Comme d'accoutume.

MINA

Ça t'en f'rait un cavalier, ça, si tu voulais. Pas fidèle en monde: avant tes noces déjà, y te r'gardait comme un chien r'garde son maître. C't'un bon yable, y a pas inventé la cassonade brune, c'pas une beauté... mais à ton âge, ça t'f'rait un mari montrable. Ben jusse pour pas être dans misère, mais de nos jours, cé qu'tu veux... Pis tu l'aurais à ta main: y f'rait toute à ton idée.

MARIANNA

Vous pensez ça, vous?

MINA

Viens pas m'fére accrère que tu l'sais pas: toute la paroisse est au courant. Tout l'monde se d'mande c'que vous attendez pour publier... Pis y est travaillant à part de t'ça. L'curé Fillion m'disait que c'tait une ben bonne âme, pas méchant pour deux cennes.

MARIANNA

Vous avez l'air d'avoir faite toute une enquête, tante Mina. Vous vous donnez ben du troube pour à rien.

MINA

J'ai mon idée là-d'sus... laisse ben fére... Bon, ben, faudrait que j'pense à y aller, moé là, mon empotée est toute fin seule avec le p'tit.

MARIANNA

Déjà? C'est ben qu'trop vrai: les jours ont beau rallonger, y commence à fére gris.

MINA

(Mettant son capot.) C'est pas encôr l'été, ben manque! Y resse pas mal de frâsis sus l'fleuve. J'me promenais sus l'écore à matin, l'soleil est bon, mais c'est pas l'été. Y a pas grand'monde encôr pour faire marée.

MARIANNA

Ah, c'est encôr un peu frais, mais l'beau temps est pris pour rester. Mon idée, on va avoir l'été pas mal vite c't'année.

MINA

T'es plusse au courant qu'moi: avec ton jardinier qui passe son temps à r'virer des racines, y doit avoir les nouvelles avant tout l'monde, lui.

MARIANNA

Aimeriez-vous que j'fasse un boutte de ch'min avec vous?

MINA

Ben... advenant l'cas qu't'as affére par là, ça m'f'rait plaisir.

MARIANNA

Ben oui, ben oui, ça m'adonne: j'vas arrêter prendre d'la flaze au magasin, j'en manque.

MINA

Ah ben, tant qu'à t'rende au village, tu pourrais souper à maison. J'ai parti une soupe de patates pis d'oignons. Albert s'rait content, y t'ramènerait sus l'team après a priére.

MARIANNA

Non marci, c'est ben aimable, mais j'peux pas à soir.

MINA

Pourquoi cé fére? Attends-tu quequ'un? Vas-tu veiller en queque part? Un lundi soir?

MARIANNA

Non, non, j'ai jusse d'l'ouvrage en masse. J'me sus mis en r'tard aujourd'hui. J'voudrais fenir. À part de t'ça, ça s'peut qu'Rosalie vienne faire son tour: j'voudrais pas qu'a s'cogne el nez sus a porte.

MINA

T'es ben bonne pour elle... une pauv' fille qu'on sait pas d'où ça sort. Pas yable dégourdie: entendre parler qu'a f'rait ben jusse l'affére chez ses patrons. En v'là une qui trouvera pas à s'marier, pis ça s'ra pas faute d'avoir essayé.

MARIANNA

Dites pas ça, tante Mina: Rosalie est une belle fille, pleine de qualités, y s'trouvera ben quequ'un pour s'en apercevoir.

MINA

Ah moé, j'y souhaite ben d'la chance... Mais une sarvante... à moins d'être ben en amour...

MARIANNA

Ben chus parée, là, tante Mina.

MINA

Allons-y don. T'es sûre tu veux pas rester à souper? Tu pourrais voir la rousse.

MARIANNA

Çartain. J'vas jusse dire bonjour, pis j'vas continuer mon chemin, vu qu'la noirceur tombe. V'nez-vous-en!

Elles sortent. L'éclairage baisse. Quand la lumière revient, c'est le soir. Rosalie est assise toute droite, sa joie complètement retombée, devant une tasse de thé à laquelle elle ne touche pas. Elle est très désemparée.

MARIANNA

Tu veux pas enlever ton chapeau, pis veiller un peu?

ROSALIE

Non marci, Marianna.

MARIANNA

On pourrait s'fére une p'tite partie d'dames. Ça m'fait rien qu'tu gagnes à tout coup. J'vas p'tête fenir par te surprendre, pis gagner.

ROSALIE

Non, non marci, mais j'ai pas l'cœur à ça, à soir.

MARIANNA

Rosalie, qué cé qu'y a? Qué cé qui s'est passé? Pourquoi c'tu fais une face de même? Tu t'es faite chicaner? T'as cassé d'la vaisselle?

ROSALIE

Ben non, pantoute. J'ai toute faite comme à mon habitude, ben correque. Non...

MARIANNA

T'aimes autant qu'on n'en parle pas? C'est ça? Tu veux-tu qu'on parle d'un aut' affére?

ROSALIE

Ben non, Marianna, chus v'nue ecitte pour te l'dire... mais j'sais même pas comment l'dire. Chus sûre qu'y s'est rien passé d'grave, pis d'important, chus sûre que toute ça, c'est ben normal, ben correque... mais moé, ça m'fait comme si j'v'nais d'm'apercevoir de queque chose qui m'fait ben d'la peine... queque chose que j'dirais pas catholique, qui s'peut pas.

MARIANNA

Ben conte-moé lé comme c't'arrivé. Pis si j'comprends pas, tu peux t'fier que j'vas te l'fére à savoir.

ROSALIE

Ben... c'est rapport à la lettre, tu sais la lettre de Florent Dubé que monsieur m'a donnée à matin?

MARIANNA

Oui, oui, j'm'en souviens çartain.

ROSALIE

Bon. Ben, monsieur est rentré d'ouvrage vers les cinq heures, comme d'accoutume. Madame avait du monde, là, pour le thé, pis a l'était dans l'salon. Moé, j'tais sûre d'avoir toute mon temps pour fére el souper. J'tais en train d'éplucher des patates dans cuisine, j'tais ben assis: c'est sûr, han, pas obligée d'fére des patates deboutte? Fa que v'là-t-y pas monsieur qui arrive en pleine cuisine. Moé, j'me lève, toute énarvée, pis ça manque pas que j'renvarse toute mon siau d'épelures à terre. Jusse comme j'me penche en faisant plein d'excuses, y m'dit qu'y voudrait m'voir dans son bureau quand j'aurais feni d'ramasser mes dégâts. Pis y part en m'laissant l'cœur à l'envers. J'tais inquète sans bon sens, j'ai toute er-passé ma journée au grand complet pour voir c'que j'avais faite de croche, j'ai rien trouvé à part que chus restée trop longtemps icitte à matin.

MARIANNA

T'es-tu allée l'voir? Dans son bureau?

ROSALIE

Y fallait ben! C'tait pas un ordre, mais c'est tout comme. J'avais tellement peur, Marianna.

J'sentais qu'y arriverait queque chose de grave. Chus t'allée, y était ben assis confortable dans un fauteuil, y n'avait un aut', mais comme y m'a pas dit d'm'assire, chus restée deboutte pour ben y montrer que j'sais les usages. Pis là, y a commencé. Y a dit qu'y avait jamais pensé avoir affaire à une *intrigante* dans son sarvice. Y a dit que j'tais jeune, pis que j'connaissais pas grand'chose du monde, pis vu que j'tais une fille comme j'étais, fallait pas s'surprendre de m'voir fére c'que j'faisais, mais que lui, en chef de famille qu'y était, y pouvait pas *tolérer* ça, qu'y a dit.

MARIANNA

Y t'a renvoyée?

ROSALIE

Ben non! C'tait pas ça! C'tait pas c'qu'y voulait dire. Moé, j'comprenais rien de toute c'qu'y disait, fa que j'ai dit: «Qué cé qui s'passe, monsieur, y a-tu d'quoi que j'ai pas faite sus l'bon sens?» Pis lui, y a eu un grand sourire, pis y a dit: «Viens pas m'faire accroire que tu l'sais pas Rosa. On a beau être ignorant, y a des choses qui s'devinent.» Pis là, j'sais pas pourquoi, c'est niaiseux, han, y avait pas d'raison, mais j'me sus mis à pleurer, Marianna. J'avais pas d'réponse à y fére, pis j'me sus sentie tellement pauvr' t'à coup, même pas d'mots pour répondre, même pas assez d'instruction pour comprendre: j'avais rien qui faisait. Fa que j'braillais, pis j'asseyais qu'ça paraisse pas. Mais y l'a vu, ben crère. Là, y a changé d'air, pis y a dit qu'la lettre, c'tait une farce, une farce du neveu à sa femme, qu'à c't'âge-là, les jeunesses sont fous comme balais, pis qu'y pensent pas deux secondes à qué cé qu'y font. Que peut-être que j'avais pas faite toute es c'que j'pouvais pour l'agacer, mais qu'y fallait être ben soigneuse de ma vertu dans l'service, pis que jamais y supporterait que j'lève les yeux encôr sur un homme invité. Y m'a dit qu'y a une place qu'y fallait que j'garde avec modestie : c'tait celle que j'avais, celle d'la bonne. Pis là, ben, c'avait d'l'air d'être toute, fa que j'ai d'mandé si Florent avait donné des nouvelles, tu comprends, si y savait ça, c'tait signe que Florent leu-z-en avait parlé dans une lettre. Ben là, Marianna, y m'a r'gardée, pis y a dit : « J'ai ma façon d'savoir c'qu'y s'passe dans ma maison, crains pas, j'sais c'qui en est des folleries à Florent Dubé. Faut rien attendre de lui, Rosa, y a faite ça pour te monter a tête, pis ça ben d'l'air qu'y aurait réussi. » Pis là, y m'a dit de r'tourner à mes patates, pis de pas être inquiète, que Florent m'écrirait pus çartain, que lui en faisait son affére. Pis que, si y venait aux grandes vacances, je l'verrais même pas, qu'y trouverait à m'envoyer ailleurs.

MARIANNA

Ma pauvr' Rosalie... mon Dieu qu'ça m'fait d'la peine... pauv'tite, va.

ROSALIE

Vois-tu, Marianna, je l'sais ben que toute ça c'est normal, qu'y s'est rien passé d'extravagant. Mais c'est comme si y m'aurait battue : j'me sens toute à l'envers, toute courbaturée, pis j'sais même pas pourquoi.

MARIANNA

Peut-être que tu pensais pas qu'monsieur dirait ça. T'avais p'tête pensé qu'y s'rait content de t'voir en amour.

ROSALIE

Ça s'pouvait pas, han? C'est ça qu'tu voulais dire à matin? Fallait pas que j'parte en peur avec la lettre, vu qu'ça s'rait une follerie d'Florent pour rire de moé? Qu'y avait jamais été enchanté d'me rencontrer? C'est ça, han?

MARIANNA

Non, Rosalie. C'que Florent Dubé pense, on l'sait pas. J'pense pas qu'y voulait rire de toé: j'peux pas crère qu'y aurait faite ça. Mais j'pensais ben que, quand ça s'saurait, monsieur pis madame, eux aut', y verraient pas ça d'un bon œil.

ROSALIE

Mais pourquoi? Ça leu z-enlève rien!

MARIANNA

Ça leu fait rien, ça, Rosalie. C'est du monde bien, ça, du monde d'la haute, pis icitte, y ont une maniére de fére, pis dans leu maniéres, ça s'peut pas qu'la bonne erçoive des lettres de quequ'un d'la famille. Ça s'rait c'qu'y appellent, un déshonneur, une mésalliance.

ROSALIE

Parsonne avait parlé d'noces. Pourquoi c'qu'y font ça? Chus la bonne, mais y m'laissent ben leu-z-enfants. Pis c't'important, ça, pour eux aut', les enfants.

MARIANNA

Je l'sais ben, Rosalie. Charche pas à t'expliquer ça : tu vas passer ta vie là-d'sus.

ROSALIE

Comme ça, t'es pas sûre que Florent pensait à mal fére ? Tu dirais pas qu'y voulait rire de moé ?

MARIANNA

Non, j'dirais pas ça. C'est pas çartain pantoute.

ROSALIE

Même si monsieur pense de même, toi, tu dirais pas qu'c'est sûr?

MARIANNA

Non, pas sûr pantoute. Mais tu l'sauras jamais, Rosalie, charche pas à l'rencontrer encôr, ça va t'fére du troube.

ROSALIE

Je l'sais, mais ça m'console si c'est rien qu'monsieur pis madame qui pensent ça.

MARIANNA

Mais l'pire c'est que, si ça vient qu'à s'savoir, y en a ben d'aut' qui vont penser comme eux aut', pis t'aurais d'la misére à t'trouver un aut'place.

ROSALIE

Chus pas renvoyée, Marianna.

MARIANNA

Je l'sais ben, Rosalie, j'disais ça d'même... au cas qu'un jour, ça soye toé qui aurais envie d'changer d'place.

ROSALIE

Vois-tu si c'est fou: j'y aurais même pas pensé. Moé, les sœurs m'ont placée là, j'me voyais là jusqu'à temps d'mes noces.

MARIANNA

Ben si y t'font trop d'peine, faudrait qu'tu penses à aller ailleurs. Laisse pas l'monde te fére trop d'peine, Rosalie.

ROSALIE

Par chance que j't'ai, han, Marianna? Mais j'pourrais pas m'en aller, parce que j'me trouverais loin d'toé, pis ça, ça s'rait pire que d'supporter monsieur pis madame.

MARIANNA

Ah... on sait jamais... p'tête que moé aussi, un moment donné, j'vas vouloir changer d'air.

ROSALIE

Toi? Ben voyons, Marianna, t'as une maison à toé, t'as d'la famille dans l'Anse, pis à Montmagny, qué cé qu'tu voudrais d'plusse?

MARIANNA

Je l'sais pas, Rosalie. Din fois, l'envie m'prend de toute sacrer là pis d'm'en aller loin, ben loin d'l'ordinaire, d'la vie d'toué jours, de c'te carcan-là.

ROSALIE

P'tête ben qu'tu t'morfonds d'être tu-seule... p'tête qu'y t'manque un homme.

MARIANNA

Un mari! J'en ai d'jà eu un. Ça remplace pas toute un mari, Rosalie. Ça change el mal de place pis c'est toute. Un mari, c'pas assez pour remplacer l'envie d'partir, d'voir le monde, pis d'être quequ'un qui a d'aut'chose à dire que l'temps qui fait.

ROSALIE

Tu veux toujours ben pas partir pour la grand'ville? Une femme tu-seule!

MARIANNA

T'es drôle! J'mourrais pas pour autant!

ROSALIE

Tu l'sais p'tête pas, mais c'est dangereux les grand'villes. Prends rien qu'Montréal, paraîtrait qu'y a d'la traite des blanches. Un coup pris là-d'dans, tu peux pas t'en sortir, tu meurs là. La pègre te tient. Pis c'est pas des menteries, là, c'est les femmes tu-seules, celles qui arrivent d'la campagne pis qui sont dans misére à cause d'la crise qui s'font pogner par des femmes de combine, qu'y appellent. Dans l'*Courrier* l'aut'fois, y disait qui n'avait 8 000, rien qu'à Montréal. Pis sais-tu qui qui en profite? Des bootleggers pis des bandits! J'te laisserai pas fére ça, çartain.

MARIANNA

Comme ça tu penses que toute c'que j'ferais, ça s'rait de m'vendre à traite des blanches?

ROSALIE

Ben non... mais tu t'ferais pogner sans l'savoir.

MARIANNA

Ben là, j't'avartis: j'ferais ben attention.

ROSALIE

Tu t'en iras pas, han, c'tait des folies pour me fére peur?

MARIANNA

J'disais ça d'même, Rosalie. C'est des envies qu'j'ai, des espoirs de pas mourir icitte.

ROSALIE

Aussitôt partie, t'aurais rien qu'envie de r'venir. T'as l'air d'oublier qu'icitte, l'air est grande, pis t'as l'fleuve, les champs...

MARIANNA

Pis l'ennuyance, Rosalie, oublie pas ça, on a l'ennuyance avec.

ROSALIE

Tu dirais que c't'à cause d'icitte? Ah... moi, j'aurais eu à mon idée que c'est partout pareil, que l'ennuyance, on l'arait de toute maniére.

MARIANNA

Ouain, t'as p'tête raison, p'tête que c'est d'même : on est née avec l'ennuyance collée sus l'cœur. On s'réveille avec au p'tit matin, pis on fait not'journée en essayant d'la pousser. Pis a r'vient tout l'temps. L'ennuyance, c'est comme les marées, ça a d'la mouvance, mais dans l'fond, ça bouge pas gros. N'importe, j'dirais pas non d'voir de quoi c'est faite ailleurs.

ROSALIE

Ça doit être du pareil au même... avec el pire pour les villes pis du monde plusse pauvre, si ça s'peut.

MARIANNA

Même que, din fois, Rosalie, j'rêve de prendre el bateau pour les vieux pays.

ROSALIE

Ça l'a toujours ben pas d'allure : les vieux pays, mais tu r'viendrais jamais !

MARIANNA

C'est quand j'vois passer l'*Empress of Britain* sus l'fleuve que ça m'pogne. Mais c'est des rêvasseries, ça. Ben sûr que j'pourrais pas partir de même, tu seule sus l'pont, avec un p'tit chapeau darniére mode, mes valises dans ma cabine, pis tante Mina en maudit sus l'quai, rapport que j'la laisse tu seule avec la rousse. C'est des rêvasseries, mais ça fait du bien, Rosalie, des rêvasseries d'ennuyance.

ROSALIE

Ben çartain que quand tu dis ça d'même, ça l'a d'l'air correque pis pas dangereux... ça fait même plaisir.

MARIANNA

Din fois,. j'me d'mande pourquoi cé fére que ça s'rait si dangereux qu'ça d'aller voir ailleurs.

ROSALIE

On peut pas toute savoir... Mais c'est çartain que c'est plusse dangereux que d'rester icitte oùsqu'on connaît son monde, pis qu'on sait à qui qu'on a d'affaire.

MARIANNA

Ça empêche pas Richard d'la grocerie de vendre sa bouteille d'odeur deux fois plus chère qu'à pharmacie d'Montmagny, vu qu'c'est moins loin pour el monde de l'Anse, pis qu'y sait ben qu'y va a vendre pareil.

ROSALIE

Mais on l'sait! C'est là qu'ça fait la différence. À Londres, tu l'saurais pas, pis c'est même pas ta langue ni ta religion.

MARIANNA

Oui, mais à Paris, c'est ma langue, j'aurais rien qu'à aller là.

ROSALIE

Mais c'est plein d'communisses pis d'juifs, y sont presquement toutes contre l'Église. Pis y a la guerre qui peut toujours arriver... sans compter les communisses russes... tu vas t'fére tuer, c'est sûr.

MARIANNA

Pour ben dire, y a rien qu'icitte que tu trouves ça rassurant.

ROSALIE

Pis encôr : monsieur dit qu'les Anglais pis les Juifs de Montréal asseyent de mette la main sus l'peu d'argent qu'on a, que toutes nos richesses y passent.

MARIANNA

Est à eux aut' l'argent : est rien qu'écrit en anglais !

ROSALIE

Mais monsieur dit qu'ça va changer dans pas long, ça.

MARIANNA

Si tante Mina t'entendait : a l'a assez chialé contr' les conservateurs, la plaie d'l'humanité!

ROSALIE

Ben, asteure qu'y sont dégringolés, on va p'tête l'avoir not' piasse en français.

MARIANNA

Sais-tu qu't'es pas mal au courant, Rosalie? On pourrait fére une veillée avec tante Mina, pis parler d'politique?

ROSALIE

J'en entends assez parler chez monsieur, laisse fére! En plusse que tante Mina, a veut pas discuter, a veut jusse dire que c'est pas catholique pis pas correque.

MARIANNA

Ben tu m'fais rire, toé: y pas deux menutes tu disais pareil à tante Mina.

ROSALIE

Ben quoi? A l'a pas toujours tort! À part de t'ça, j'ai pas encôr toute compris dans politique: c'est compliqué, c'est pas pour à rien qu'c'est pas des afféres de femmes.

MARIANNA

J'me d'mande si on devrait pas se n'occuper un peu plusse: p'tête ben qu'ça s'rait plusse sus l'bon sens si on s'en mêlait.

ROSALIE

C'est ça: viens donc dire qu'on s'rait mieux qu'les hommes! T'es pas extravagante en monde!

MARIANNA

Mets-en pas, Rosalie! J'ai pas dit mieux, j'ai jusse dit qu'ça l'aurait p'tête plusse d'allure si on s'en mêlait *avec* eux aut'.

ROSALIE

Moé, j'trouve ça quasiment pareil. En toué cas, j'ai trop d'ouvrage pour m'occuper de t'ça. Chus ben jusse pour lire el *Courrier de L'Islet.*

MARIANNA

Ben oui, j'sais ben, moi pareil. Ça doit être encôr des rêvasseries d'ennuyance, ça.

ROSALIE

Ben moé, quand j'rêve, c'est pas d'politique, Marianna, c'est d'amour. Pis là, ben y m'resse pas grand'espoir quant à ça.

MARIANNA

Fais-toé-z-en pas! Ça viendra ben qu'à s'arranger, belle comme t'es.

ROSALIE

Tu penses? Florent pourrait m'parler pis m'écrire?

MARIANNA

Ben j'dirais p'tête pas Florent, mais un aut' çartain: la mère des gars est pas morte, Rosalie.

ROSALIE

Non, ben sûr, mais din fois, j'la trouve mal en point que l'yable.

MARIANNA

T'es trop pressée! Marie-toé pas trop vite, c'est toute c'que j'peux t'dire.

ROSALIE

Pis toé? Vas-tu t'marier avec Honoré? Y s'est-tu déclaré?

MARIANNA

Pire que tante Mina! Rosalie, fais-moé la grâce de m'laisser en paix avec les noces d'Honoré. C't'un ami pour moé, pas un cavalier.

ROSALIE

J'veux ben faire à ton idée, mais j'me d'mande c'qu'y dirait de t'ça, lui.

MARIANNA

Laisse-lé dire tu seul. Si y a d'quoi à dire, y l'dira, pis on verra dans l'temps comme dans l'temps.

ROSALIE

Hé sainte! Ça doit être ça qu'les sœurs voulaient dire quand y parlaient d'être raisonnable, pis d'pas trop en d'mander à vie.

MARIANNA

Savoir si c'est pas trop en d'mander, ça, c't'à voir. En toué cas, on règlera pas ça à soir, han?

ROSALIE

Non, mais ça m'a faite du bien de t'parler. M'as aller m'canter, moé là, faut que j'me couche à bonne heure si j'veux pas varser el café de monsieur à côté d'sa tasse demain matin.

MARIANNA

C'est ça, bonne nuit, là, pis pense pas trop à tes malheurs.

ROSALIE

Promis. Bonne nuit Marianna. Rêve à l'*Empress of Britain*!

Rosalie sort et Marianna ramasse les tasses.

MARIANNA

Varser l'café à côté d'la tasse à monsieur. Moé, c'est sus la tête à monsieur qu'je l'varserais, ben chaud, ben bouillant sus la tête à monsieur qui a pas d'cœur, jusse d'la tête.

Black.
Quand l'éclairage revient, les draps sur la corde ont changé de saison. La cuisine est en désordre : table et chaises dans un coin, papier journal à terre. Marianna est en train d'en étendre près du bahut-armoire. Un pot de peinture est à ses pieds. Elle fredonne Le temps des cerises. *Le soleil doit entrer en masse dans la cuisine. Honoré entre, une rose à la main.*

HONORÉ

Coût don, Marianna, vous êtes partie en grande c't'année. À chaleur qu'y fait, vous vous ménagez pas yable.

MARIANNA

Si c'est pas Honoré qui arrive ben jusse d'adon pour me donner un coup d'main.

HONORÉ

Ah ça s'ra pas de refus, si vous y voyez pas matière à scandale.

MARIANNA

(Se retournant.) Ben lâchez-moé l'scandale, vous : on n'est pas en 1900, pis chus t'assez grande pour défendre ma vartu tu-seule... Mais vous êtes ben swell, Honoré, où cé qu'vous allez d'même? En plein milieu d'semaine, une fleur din mains?

HONORÉ

Ah, ça? J'l'ai coupée à matin, pensant qu'ça vous intéresserait d'voir de quoi ça d'l'air là, un croisement...

MARIANNA

V'nez pas m'dire que vous avez coupé la rose que vous avez tant travaillé à avoir! Jusse pour me montrer de quoi qu'a l'a l'air? Honoré, franchement, vous m'aviez dit que c'était une rose de concours, ça.

HONORÉ

Ben sûr, Marianna, mais y en a pas d'concours. Fa que me sus dit que tant qu'à a voir se faner sus sa tige, j'aimerais autant mieux dans vot' cuisine que dans mon jardin.

MARIANNA

Vous y allez pas avec el dos d'la cuillère, Honoré, pis chus ben gênée de t'ça, même si ça m'fait plaisir...

HONORÉ

Y a pas d'quoi s'choquer, Marianna, j'aime à fére plaisir, pis on s'est toujours ben entend toué deux: pourquoi s'rait pas tout simple, là? Mettons que c't'une rose comme un aut', han?

MARIANNA

Sauf que c'en est pas une, Honoré... mais est ben belle.

HONORÉ

Vous trouvez? Est à vot' goût? Y en a qui asseyent d'en croiser pour qui ayent pas d'épines, mais moé, chus contre. J'trouve qu'y faut prendre ça comme ça vient: c'pas à cause qu'on sait pas à quoi ça sert qu'y faut y enlever les épines, han? On peut fére ben du tort sans l'savoir. On pourrait encourager les roses à disparaître, ni plus ni moins.

MARIANNA

Chus ben tranquille là-d'sus, Honoré, tant qu'vous serez là, y va rester des roses.

HONORÉ

Faut dire qu'j'ai un faible pour ça, les roses: j'trouve ça tellement délicat.

MARIANNA

Jusqu'aux pissenlites que vous finissez pus par couper... z'avez l'cœur grand, Honoré, c'est d'même ça s'appelle, ça.

Elle met la rose dans l'eau.

HONORÉ

Heu... étiez-vous partie à donner un coup d'pinceau aux armoires, Marianna?

MARIANNA

Ben oui, mon grand ménage était pas feni que j'me sus dit qu'y faudrait ben rajeunir les armoires.

HONORÉ

Z'avez choisi vot' journée: y fait 85 dans l'plus bas, on rase el 90.

MARIANNA

Ben pour ma part, quand el poêle chauffe pas pour er'passer, j'me sens déjà pas mal à fraîche. Quand j'ai vu l'monde sua grève à matin, les paniers d'pique-nique qui debordent, me sus dit qu'j'avais mérité mon congé d'semaine.

HONORÉ

Ah, on a pas à s'plaindre du temps. On a eu beau depuis l'début d'l'été... depuis la procession d'la Fête-Dieu, pour ben dire.

MARIANNA

En plein ça! Ça l'a pas slacké d'être beau depuis la Fête-Dieu. J'pense que Marcoux a même pas défaite le r'posoir tellement y était fier de son coup.

HONORÉ

Y avait ben en belle, parce qu'y était beau en vernol: pis j'dis pas ça parce que j'l'ai fourni d'fleurs.

MARIANNA

Mais ça l'a aidé, Honoré, un r'posoir pas d'fleurs, ça s'peut quasiment pas.

HONORÉ

C'est sûr, quant à ça... ben si vous êtes décidée à faire vot' peinturage aujourd'hui, j'serais d'équerre pour en fére un boutte.

MARIANNA

En quel honneur? Êtes-vous off aujourd'hui, Honoré?

HONORÉ

J'ai pris mon congé moé itou. J'avais ben dans l'idée d'aller tirer une ligne, mais y fait trop chaud: l'poisson voudra pas. J'tais parti sus l'air d'aller prendre une marche, pis comme j'passais à ras chez vous, j'me sus comme qu'y dirait trouvé une commission pour rentrer écornifler.

MARIANNA

Pis vous allez vous fére pogner pour peinturer: c'pas yable une bonne affére, ça, Honoré. J'vous garantis qu'vous faites pas vot'profit là-d'sus.

HONORÉ

Dépendant du profit qu'on charche...

MARIANNA

Mais vous êtes ben qu'trop chic, Honoré. Vous allez toute salir vos belles habits du dimanche.

HONORÉ

C't'à crère que c'est mes habits du dimanche: c'est jusse des hardes de s'maine, en seulement, c'pas mes overalls.

MARIANNA

Faites comme vous aimerez, Honoré, mais chus pas responsable de c'qui va arriver à vot' butin.

HONORÉ

M'as jusse enlever ma vesse si ça vous choque pas, comme de raison.

MARIANNA

Pas une miette, Honoré, soyez ben à votr' aise.

HONORÉ

Bon, ben, donnez-moé mon ouvrage asteure, bossez-moé, Marianna.

MARIANNA

C'pas sorcier: j'passe un linge humide pour dégraisser, un linge sec, pis par après vous y allez du pinceau.

HONORÉ

Ben parfait! Pis soyez pas r'gardante, là, chus bon à l'ouvrage. D'mandez-moé d'fére toute c'qui vous adonne.

MARIANNA

Faites attention à ça, Honoré, j'en connais qui ambitionneraient.

HONORÉ

Pour ben dire, je l'offre pas à n'importe-en-qui non plus.

MARIANNA

Aussi ben, parce que vous allez en donner des coups d'pinceau, pis vous allez en fére des grands ménages.

HONORÉ

D'aucuns l'font plusse à bonne heure que vous...

MARIANNA

Ah, y a pas à dire, chus pas en avance c't'année. J'vas fenir cel-là pis y va être grand'temps d'commencer çui-là d'automne.

HONORÉ

Ça vous fait pas gros de délassement, ça, Marianna: faut profiter d'la belle saison aussi, est pas dresse longue.

MARIANNA

J'me promène en masse, pas d'soin: toué matins pour aller qu'rie l'lait, pis l'dimanche pour la grand-messe. Ça m'arrive de pousser une pointe jusqu'à beurrerie des Ménard, pis je r'viens par l'écore en r'gardant l'fleuve, pis les goélands, pis l'bateau du père Eustache. Avec l'été, c'est sûr que les étranges viennent plusse dans l'coin. Ça m'arrive de jaser avec eux aut', pis d'entendre parler d'la grand'ville.

HONORÉ

Ah y sont contents d'se r'trouver à campagne: c'est ben dur la ville à c'qui paraîtrait. Pas d'vent, du bruit en masse, d'la poussiére...

MARIANNA

V'nez pas m'dire qu'on n'a pas d'poussiére icitte, Honoré: avec les machines qui passent dans l'coin l'été, j'passe ma vie à épousseter.

HONORÉ

C'est sûr que c'est ben salissant les machines. Mais y en a moins icitte qu'en ville. Là-bas y paraîtrait que c't'une vraie plaie d'Égypte.

MARIANNA

Mais leu ch'mins sont pas en gravier d'rivière: on s'en r'sent de t'ça, nous aut'.

HONORÉ

N'empêche que c'est l'team pis l'boggey qui est l'plus sûr.

MARIANNA

Va v'nir un temps où ça va être un péril que de s'promener avec une bête sua route.

HONORÉ

Tout ben pesé, ça s'peut Marianna. Mais comme c'est parti là, avec la crise pis toute, les usines de machines ont farmé pis y ont pas l'air prêtes à rouvrir.

MARIANNA

Ça durera pas toute la vie la crise. Vous l'aurez ben vot' Stu-de-ba-ker, vous avec.

HONORÉ

M'en vas vous fére fére des tours dedans, ça va vous désennuyer.

MARIANNA

Vous avez dans l'idée que j'm'ennuie, Honoré?

HONORÉ

Je l'sais pas, Marianna... j'voulais pas vous choquer en disant ça. Mais m'semble que vous êtes ben seule depuis qu'vot' mari a décédé.

MARIANNA

J'ai d'l'ouvrage en masse, Honoré: ça m'tient lieu d'compagnie.

HONORÉ

Ben sûr, ben çartain, c'pas à l'ouvrage que j'pensais en disant ça. Ben au contraire, Marianna, j'trouve ben d'valeur de vous voir travailler si fort.

MARIANNA

Ayez pas d'peine pour moé: c'que j'fais, dites-vous ben qu'ça fait mon affére de l'fére, pis qu'je l'fais pas pour empiler des sacrifices pour l'éternité.

HONORÉ

Comme ça, ça vous dirait rien d'pus travailler?

MARIANNA

Pourquoi cé fére j'arrêterais, Honoré? Faut que j'gagne, pis vu la rareté d'argent faut trimer dur pour avoir de quoi vivre.

HONORÉ

Oui, mais en supposant qu'vous auriez du bien, là, pis d'l'argent assez pour votre aisance...

MARIANNA

Ben je l'sais pas, Honoré. Franchement j'me vois pas assis à m'barcer pis rien fére, comme si j'serais mûre pour l'hospice.

HONORÉ

C't'entendu qu'ça vous prendrait d'quoi vous occuper... comme des enfants.

MARIANNA

C't'une maniére de voir...

HONORÉ

C'coin-là, Marianna, je l'trime-tu avec?

MARIANNA

En plein ça.

HONORÉ

Moé, j'aimerais ça avoir des enfants: j'les amènerais sus les terres basses, à ras l'fleuve dans l'foin pis la rouche, j'leu montrerais l'gibier, pis comment l'pogner l'automne venu. On irait fére des tours à l'Île-aux-Grues, pis on irait à pêche. On ramènerait d'la p'tite morue en masse à maison. Comme de jusse, y faudrait qu'j'aye ma terre à moé, pis une vraie installation d'ferme, han ? On met pas des enfants au monde sans être installé sus une terre ben à soi, surtout d'nos jours.

MARIANNA

C'est-tu pour ça que vous vous en privez, Honoré ? Rapport à terre ?

HONORÉ

Ah ben, la terre, la femme, pis toute ! C'pas facile de trouver à s'marier. D'autant plusse que chus déjà dans ma deuxième jeunesse.

MARIANNA

Quand vous voudrez, vous trouverez ben Honoré, pas d'soin.

HONORÉ

Vous, Marianna, les enfants... ça vous dit rien ? Z'avez pas regret d'pas n'avoir ?

MARIANNA

Y a eu un temps que j'm'en consolais pas, Honoré. Pour parler franc, si vous voulez toute savoir, quand mon mari a décédé, c'est dans mes enfants qu'j'ai pas eus qu'j'ai été l'plusse éprouvée. J'en voulais... ça, y a pas à dire. J'priais la Vierge toué jours pour avoir un p'tit. Mais à l'heure qu'il est j'me d'mande si la Sainte Vierge a pas ben faite de me r'fuser la famille.

HONORÉ

Vous dites ça rapport que vous êtes veuve de vot' état, pis qu'c'est malaisé d'élever une famille toute fin seule?

MARIANNA

Pantoute Honoré. Si vous aimez à l'savoir, j'dis ça parce que asteure, du temps qu'y fait, je l'sais pus pantoute si j'aimerais ça avoir des p'tits.

HONORÉ

Ah... vous devez avoir vos raisons personnelles...

MARIANNA

Je l'sais pas. C'pas un raisonnement qu'j'ai, c't'une impression. P'tête que j'pardrais gros d'ma vie en m'occupant des p'tits. Pis p'tête que j'perds gros aussi en n'ayant pas. Je l'sais pas, pis comme on choisit pas...

HONORÉ

C'est quoi vot' espoir d'abord? De quoi vous allez vous occuper?

MARIANNA

J'ai ben un envie qui démord pas d'm'en aller d'icitte. Des fois, l'soir vers les six-sept heures, quand je r'viens des vêpres pis qu'j'entends les chars crier, y m'prend une envie d'courir pis des rattraper pis m'sauver d'icitte pour toujours sans rien apporter. Ça s'rait ça mon espoir, même si ça l'a pas d'allure.

HONORÉ

Partir tu seule? En laissant vot' maison pis la tombe de vot' mari?

MARIANNA

Ça pas grand'bon sens, Honoré, je l'sais. C't'un vieux rêve que j'vous ai conté, là, une folie, oubliez ça.

HONORÉ

Ah bon, vous m'avez énarvé, j'ai eu peur qu'ça soye sérieux, là moi. J'vous voyais déjà en train d'courir après les chars.

MARIANNA

N'empêche que quand je r'garde passer les chars, j'peux pas fére autrement: la mélancolie m'pogne dret au cœur.

HONORÉ

P'tête que vot'frére vous manque qui est parti si loin.

MARIANNA

P'tête ben qu'oui, Honoré, allez don savoir de quoi c'est faite ça, la mélancolie.

HONORÉ

C'est çartain qu'à l'occasion ça m'prend moi avec. J'ai l'sentiment d'pas avoir grand'chose d'assis dans vie: pas d'famille, pas d'terre, des fleurs en masse, mais c'est la terre la vrée richesse, pis ça, chus pas à veille de l'avoir par les temps qui courent.

MARIANNA

Comptez-vous chanceux d'pas être sus les secours directs, c'est d'jà ça. Y en a gros qui ont pas d'terre pis qui sont obligés d'être de sur les secours directs.

HONORÉ

Aussi ben m'exiler que d'subir ça. J'ai ben failli, vous saurez: l'curé Fillion m'a approché rapport à colonisation. J'aurais si ben pu aller défricher une terre en Abitibi, oùsqu'y rouvrent des villages neufs. J'aurais eu 800 belles piasses, pis une terre à moé. Mais j'avais pas l'cœur à ça, c'est loin en vernol, l'Abitibi... à mon idée, fallait être marié pour aller là. Y aller garçon, c'tait presquement l'assurance de l'rester.

MARIANNA

Vous voyez ben qu'vous aurez pas d'besoin d'vous exiler, Honoré. Travaillant comme vous êtes pis connaissant vot' affére comme vous, y en a pas guère: on n'a besoin dans c'coin-citte aussi.

HONORÉ

C'est sûr que j'ai pas la compétence erconnue sus l'parchemin, mais j'connais mon affére. Pis laissez-moé vous dire que ma terre, je l'ai dans tête de l'avoir: quand y rentre une piasse chez nous, est pas prête d'en r'sortir.

MARIANNA

Un vrai farmier: l'sens d'l'économie comme el curé Fillion nous prêche toué dimanches.

HONORÉ

Z'avez ben en belle de rire, Marianna, attendez d'me voir ersoudre avec el papier signé comme de quoi chus propriétaire de ma terre en bois d'boutte. Es jour-là, Marianna, vous allez voir un aut' homme ici-d'dans.

MARIANNA

Ben j'espère ben qu'non, Honoré. Rapport que moé, c'est dret de même là, qu'j'aime à vous parler, pas autrement qu'ça.

HONORÉ

Ben crère Marianna, que j'vas rester l'même homme, qué cé qu'vous allez penser là?

MARIANNA

(Sur elle-même.) C'pas écrit ça, Honoré, j'en ai d'jà vu, moé, du monde changer leu fusil d'épaule en changeant d'état.

HONORÉ

(Après un temps.) Marianna... vous m'répondrez ben rien qu'si l'cœur vous en dit, mais j'voudrais vous d'mander: pourquoi cé fére que vous avez marié Batisse Bédard?

MARIANNA

... Parce qu'y me l'a d'mandé, Honoré.

HONORÉ

C'est toute, ça? Rien qu'parce qu'y vous l'a demandé?

MARIANNA

Allez don savoir, Honoré... c'tait l'été, comme aujourd'hui. Je l'sais-t-y moé, si c'tait parce que l'temps était tellement doux, que l'bosquet d'seringua sentait tellement fort pis bon, dret à côté d'sa tête, ou ben don qu'j'avais des envies d'femmes que j'connaissais même pas, pis qui m'tenaient au ventre assez pour que j'dise oui. J'avais vingt ans, Honoré. J'voulais toute, pis j'pensais qu'un mari c'tait toute. J'avais tellement d'envies, tellement d'rêves que j'pensais que l'mariage me contenterait pis m'tranquilliserait. M'en vas vous dire une chose, Honoré, y a pas une fille à vingt ans qui a pas une peur terrible de coiffer la Sainte-Catherine. Pis moé ben, pareille aux autres, j'avais peur de rester fille. Fa que j'ai dit oui au premier qui a osé d'mander. Pis à partir de c'te jour-là me sus trouvée en amour avec Batisse, parce que Batisse m'avait donné sa parole, pis que c'tait un parti qu'les filles er'luquaient, vu qu'y était beau garçon... C'est comme ça, Honoré que j'me sus t'engagée à Batisse Bédard. Vous m'direz qu'c'est pas ben catholique pis qu'ça manque de sentiment, pis j'vous dirai, moé, que j'pense pas qu'à vingt ans on sait toute es c'qu'on fait. Comme y a un paquet d'afféres qu'on sait pas sua vie pis qu'on apprend rien qu'après, on fait des folleries comme de s'marier parce que tout l'monde trouve que c'est l'bel âge pour le fére. J'vous scandalise, han, Honoré?

HONORÉ

Non... non, non, Marianna, chus surpris, ça c'est çartain mais pas scandalisé. Voyez-vous, Marianna, comme vous n'avez jamais ben ben parlé d'Batisse, j'pensais qu'vous aviez encôr el cœur ben chagrin rapport à lui. J'tais resté sus l'impression qu'vous étiez pas consolable de t'ça. Surtout qu'y s'est neyé jusse deux ans après vos noces.

MARIANNA

Tante Mina a pour son dire que toutes les femmes parlent ben qu'trop rapport à leu maris, pis qu'y s'plaignent, pis qu'y chialent pour des riens. Ça s'peut. Moé, je l'sais pas pour les autres, j'ai jamais rien dit tant qu'à moé. À parsonne, pas même au curé. Si j'en parle aujourd'hui, Honoré, c'est parce que vous l'demandez, pis que je connais un peu vos sentiments pour moé: fa que j'me dis qu'vous allez p'tête comprendre si j'vous dis qu'la mort de Batisse m'a faite plusse de bien que d'mal. Pis si y a d'quoi, j'ai été ben soulagée pour moi-même, tout en étant ben triste pour lui.

Honoré a les yeux fixés sur son pinceau. Depuis un moment aucun des deux ne travaille.

HONORÉ

Vous avez pas eu d'bonheur pantoute, Marianna?

MARIANNA

J'en ai eu, Honoré. L'jour de mes noces, dans ma robe en georgette rose, avec les fleurs que vous avez mis plein l'église comme si j's'rais une princesse qui s'mariait. C'te jour-là, c'tait l'premier, l'plus beau, pis l'seul. Après la noce, c'était feni pour moé... Après la noce, Honoré, y a toujours la nuit d'noces... Pis après, toutes les aut' jours, pis les aut' nuits avec un homme qu'on connaissait pas d'même...

HONORÉ

Marianna... saviez-vous tout c'temps-là que j'vous aimais, moi?

MARIANNA

Oui, je l'savais... je l'ai su l'jour de mes noces en rentrant din 'glise, quand j'ai vu toutes les fleurs...

HONORÉ

Faut pas penser que toutes les hommes se r'semblent, Marianna, p'tête que vous êtes mal tombée... Y a des hommes qui ont des politesses pour les femmes. Chus toute à l'envers de penser que quequ'un vous a pas traitée comme faut, Marianna.

MARIANNA

C'est feni ça fait longtemps, Honoré... Des jours j'me d'mande si sans l'savoir y a pas toujours de quoi qui est cassé dans une femme, el jour de ses noces... un peu comme si on vous avait jamais dit qu'une fleur se fanait, pis qu'vous verriez toute vot' jardin défaite un beau matin, sans raison explicable... c'est d'même, c'est toute.

HONORÉ

Ben sûr qu'à partir d'asteure, vous voudrez pus vous marier.

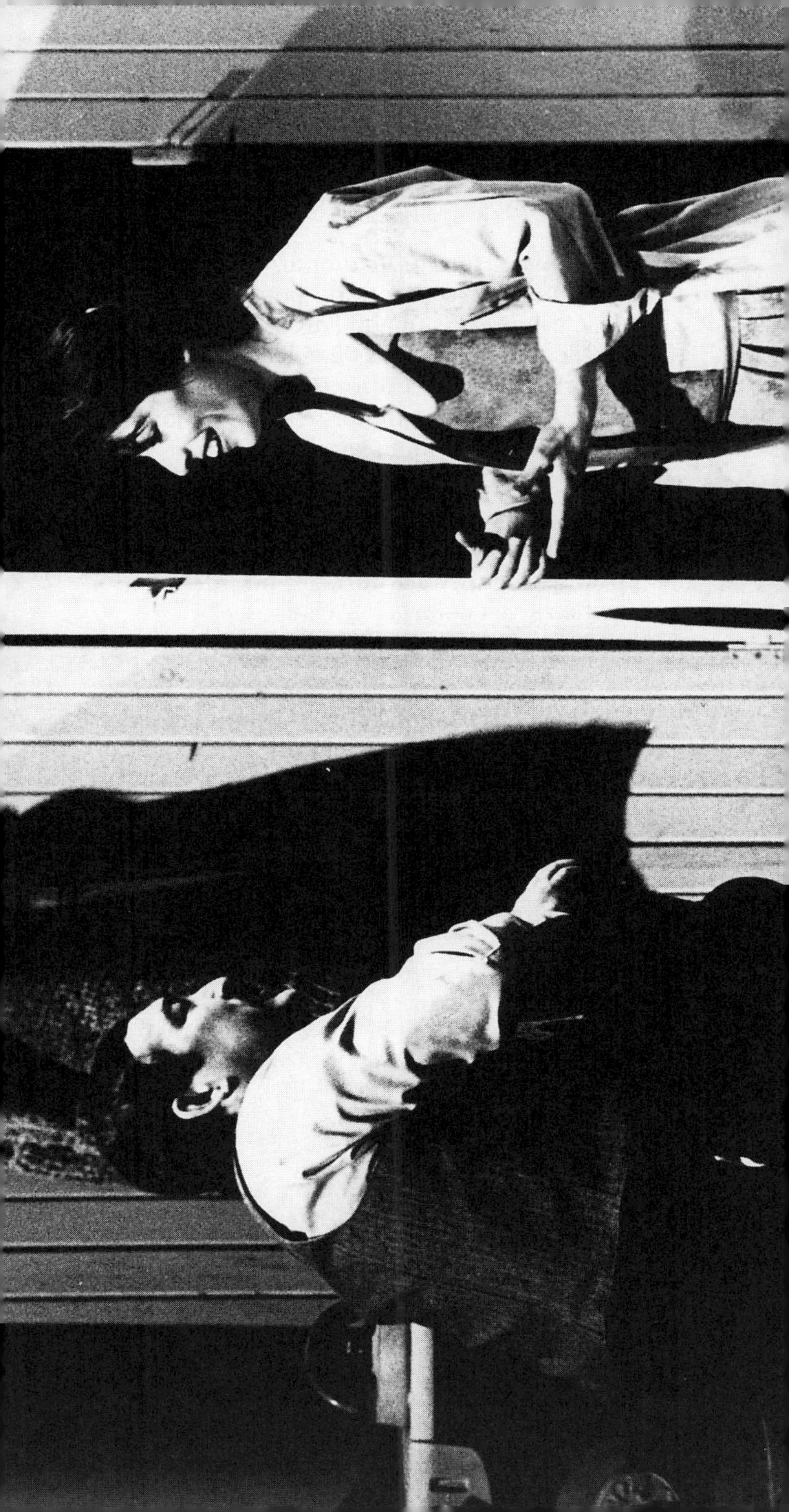

MARIANNA

Je l'sais pas, Honoré, pantoute. Laissez l'temps aller. Chus ben contente de pouvoir choisir de ma vie asteure. Pis quand j'dis choisir, j'parle de c'que j'connais, c'est pas l'ignorante d'y a six ans qui parle. M'as vous dire, Honoré, que j'pense que l'pire mal dans toute ça, c'est l'ignorance: celle de Batisse comme la mienne.

HONORÉ

Y a des gensses heureux en ménage, vous savez... Pensez pas que vous partez pardante, si vous vous fiez à vos deux ans avec Batisse?

MARIANNA

J'vas m'fier sus c'que j'connais, asteure: l'bon pis l'méchant. Vous faites partie du bon, Honoré, ayez pas peur.

HONORÉ

C'est smat de vot'part de me l'dire... heu, j'pense que j'ai laissé chesser l'pinceau.

MARIANNA

Ben l'gros d'l'ouvrage est faite. On va toute laisser ça là, pis on va aller r'garder la marée monter, pis le monde er'venir de l'Île-aux-Grues.

HONORÉ

Ben çartain... l'temps de m'laver un brin.

MARIANNA

Y a d'la térébentine dans l'flasse qui est là, pis y a un torchon dret à côté. Prenez l'temps qu'y vous faut, j'm'en vas ramasser l'papier pour pas toute laisser à traîne.

HONORÉ

Ça s'pourrait qu'un moment donné l'envie vous pogne de v'nir à pêche avec moé, han Marianna?

MARIANNA

Prendre d'la loche? Çartain. On amènera Rosalie.

HONORÉ

Ben oui. Entendre parler que l'Florent Dubé va r'venir dans région à l'automne?

MARIANNA

Ah... j'savais pas ça. Êtes-vous assuré de t'ça, vous?

HONORÉ

Ben crère... je l'tiens d'bonne source.

MARIANNA

On verra ben: on attèlera pas l'chariot avant les bœufs, comme on dit.

Marianna rajuste son chignon d'une main inquiète.

HONORÉ

Vous êtes en masse belle, Marianna, v'nez-vous-en avant qu'on manque la marée.

Deuxième partie

Toujours l'été. Rosalie, tante Mina et Marianna sont dans la cuisine. Mina tricote dans la berçante. Marianna fait des petits sandwichs. Rosalie crème des «pets au chocolat».

MARIANNA

J'y avais pourtant ben dit d'être là à sept heures. Si y continue, j'vas manquer mon effet.

MINA

Ben oui mais, dis-lé donc c'est quoi c't'effet d'surprise-là, tu m'énarves!

MARIANNA

Un effet d'surprise, c't'un effet d'surprise, tante Mina, si on la dit d'avance, y a pus d'surprise, ça finit là.

ROSALIE

Ça, a l'a ben raison. Mais tu t'énarves pour à rien, Marianna, y resse au moins dix menutes avant les sept heures.

MINA

Si c'est pour nous annoncer tes noces que tu fais toute c'te foin-là, t'aurais pu t'épargner ta peine.

MARIANNA

Ben c'pas pour ça, tante Mina, c'pas ça pantoute.

MINA

Ah!... Y a-tu faite assez chaud à vot'goût, c't'été?

ROSALIE

Assez qu'les enfants en ont faite d'la fièvre. C'est l'temps qu'ça fraîchisse, là, parce que moé, j'vas y laisser ma peau. Y sont pas t'nables: bâdrants pis rouspéteux, entends-tu...

MINA

Ça, c'comme des ch'vaux avant l'orage, y a rien à fére.

ROSALIE

Comment sont les p'tits chez vous, tante Mina? Pis vot'bru? Est-tu toujours consomption?

MINA

Les p'tits sont ben correques, y bardassent en masse, mais cé qu'tu veux? La darniére est pas bête à part de t'ça... Pis la rousse, ben crère qu'a s'est trouvée un aut' maladie, faut toujours qu'a r'lève de queque chose. À mon idée, c'est dans tête qu'a va pas, elle.

MARIANNA

Tante Mina, c'est pas ben ben charitable de vot'part, de dire ça.

MINA

Ben c'est ça qui est ça. Quand y est question

d'aller au bureau d'poste voir el catalogue de sus Dupuis frères, a s'met à s'emmieuter; son corset est pas si tôt en commande qu'y faut rentrer à pleine course à cause qu'à se r'sentirait d'une faiblesse. On a beau pas être kikeux... vient qu'un moment oùsque l'doute nous prend.

ROSALIE

C'est ben qu'trop vrai, l'catalogue d'automne est arrivé! Y ont-tu des belles matinées, un peu... j'te dis qu'être en moyens...

MARIANNA

Ben si ça peut t'fére plaisir, Rosalie, fais-toé v'nir une longueur de robe en charmeuse ou ben don en crêpe tango si tu veux, pis m'en vas t'découper un patron d'robe des fêtes.

ROSALIE

C'tu vrai, Marianna? Avez-vous entendu, tante Mina? Çartain que j'veux!

MARIANNA

Coût don, lui, si y r'sout pas, m'en vas sortir la surprise pareil.

ROSALIE

C't'à crère qu'y s'est faite attaquer par un rôdeur de nuitte.

MINA

Par les temps qui courent, avec toutes les drames qu'on lit din papiers, ça m'surprendrait pas : c'est rendu qu'les bandits nous voleraient jusqu'à nos dents rapportées! J'sais pas comment c'qu'y f'raient pour s'mette riches avec ça: j'te dis qu'y faut pas être r'gardant.

ROSALIE

Bon, ben j'ai feni Marianna. Qué cé que j'fais asteure?

MARIANNA

Tu t'assis ben tranquille pis tu prends patience. Si Honoré...

On frappe.

ENSEMBLE

Tins!

MINA

En parlant du loup, y s'montre el boutte d'la queue!

HONORÉ

Bonsoir la compagnie! J'arrive ben jusse, han, excusez-moé, Marianna.

MARIANNA

Pas grave, Honoré. Assisez-vous là, j'vas charcher la surprise.

ROSALIE

Ouain... vous êtes chic à soir, Honoré. Vous pouvez ben être en r'tard.

MINA

Pas grave, pas grave... a l'a manqué tomber en

syncope, mais c'est pas grave qu'a dit. On sait ben : vu qu'vous êtes là.

HONORÉ

(S'éponge le front.) Fait pas méchant temps. J'ai pas souvenance d'avoir eu un bel été d'même depuis belle lurette.

MINA

Dans mon jeune temps, Honoré, c'tait tout l'temps d'même : el beau temps cassait pas d'l'été.

HONORÉ

Êtes-vous sûre que vous voyez pas ça plus beau qu'c'était, là, vous ?

MINA

J'sais d'quoi j'parle Honoré. De nos jours, toute est à l'envers, toute va sus l'mal bord. Y appellent ça s'modarniser, pis moé j'dis qu'on perd nos bonnes accoutumances.

HONORÉ

En toués cas, pour une fois, on n'a pas pardu les étés chaudes. J'ai charroyé du bois, aujourd'hui, c'pas mêlant, j'pensais d'y rester.

ROSALIE

Ah c'est dur sus l'système les grandes chaleurs, pis avec les grandes mers qui s'en viennent. J'disais ça t'à l'heure, on vient qu'à pus savoir quoi fére des p'tits.

HONORÉ

Pis les grands avec, ça aurait d'l'air qu'à...

On entend Marianna sans la voir.

MARIANNA

Êtes-vous prêtes, là? Bouchez-vous toutes les yeux pis attendez que j'dise go. Rosalie, jette un coup d'œil sus tante Mina avant d'farmer les tiens.

MINA

A m'prend pour un enfant, ma grand'foi.

ROSALIE

Arrive, Marianna, on est fin prêt.

MINA

Veux-tu ben m'dire c'qu'a l'a à varnousser dans l'coin d'même?

HONORÉ

Avous idée de c'que c'est vous, Rosalie?

Marianna dépose son radio sur la table.

MARIANNA

Parsonne el sait. J'ai pris garde à mon affére. Asteure, rouvrez-vous les yeux.

Chacun s'exécute et parle presque en même temps.

ROSALIE

Han! Une radio! La bonne idée, une vrée folie!

HONORÉ

Ah ben, ah ben, ça parle au yable, Marianna, ça parle au yable.

MINA

Veux-tu ben m'dire de quoi c'est ça? Marianna, t'es pas pour rentrer un instrument pareil dans maison?

MARIANNA

Ben j'cré qu'y est rentré, là tante Mina. C'pas un dépôt ça, y est acheté, c't'à moé.

HONORÉ

Mais savez-vous qu'y vous faut un parmis, une manière de licence pour fére marcher ça? Vous avez pas l'droit d'avoir une radio sans parmis.

ROSALIE

Quand j'pense que t'en as une avant monsieur pis madame. Y n'ont pas acheté vu qu'y s'sont fait faire une installation électrique, pis ça l'a occasionné d'la grosse dépense. Y ont un poêle électrique par zemple eux aut'... mais c'est ben moins d'agrément qu'une radio.

MINA

Y a du monde qui parle là-d'dans? Es-tu sûre, toé là? Fais ben attention! Prends garde que ça nous pète pas en pleine face, là.

MARIANNA

Ben voyons donc, tante Mina, ça peut pas péter. Vous l'avez pourtant vu l'aut' fois à salle paroissale...

HONORÉ

Non, non, tante Mina: ça marche avec trois batteries, ça.

MINA

C'pas qu'une tite affére: quand Albert va apprendre ça.

HONORÉ

Ouain: une batterie A, la batterie mouillée, là, humide han, comme une batterie d'machine, la batterie B qui est comme qui dirait la batterie sèche, pis... pis heu... la batterie C.

ROSALIE

Z'avez l'air de connaître ça, Honoré.

HONORÉ

Ah... on s'tient au courant. C'pas à cause qu'on peut pas se l'permettre qu'on sait pas qu'ça existe!

MINA

Bon, ben, la pars-tu ta machine? Faut-tu cranker ça? Comment ça marche?

Elle recule un peu sa chaise et se met à l'écart.

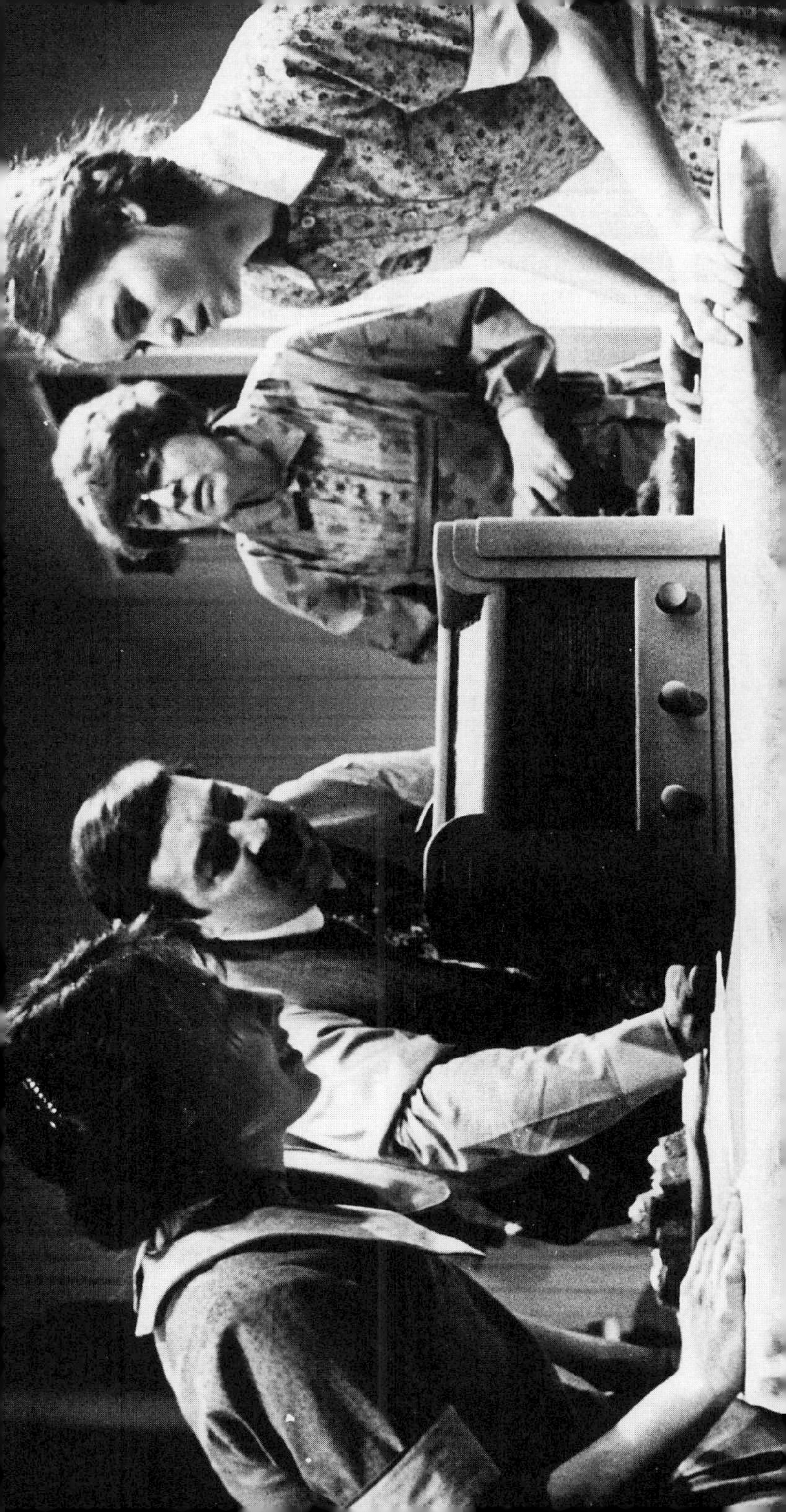

MARIANNA

J'pense que j'ai faite une bonne affére, Honoré. C't'un Westinghouse, j'l'ai eu à prix d'bargain.

ROSALIE

Ça prend ça, han? Faut être en moyen... J'te dis que c'pas avec mon douze piasses par mois que j'pourrais m'payer ça.

MINA

Douze piasses, mais nourrie, logée, fournie d'souliers: c'pas rien!

ROSALIE

C'pas trop vous savez: au prix qu'ça coûte de nos jours! Pis j'travaille en masse, c'pas d'la gâgne de chômage que j'fais, tante Mina: de sept heures du matin jusqu'à neuf heures le soir, pis une veillée d'congé par semaine el soir que ça adonne à monsieur.

HONORÉ

Bon, ben, on l'part-tu?

MARIANNA

Mangez pas vos lacets d'bottines, Honoré! Faut qu'y chauffe un peu.

HONORÉ

Ouais, vous avez dû vous casser, là, Marianna. Quand j'pense qu'y a des gensses qui parlent là-d'dans.

MARIANNA

Bon, attention, là, ça va parler. *(On entend plein de grésillements mais pas de voix.)* Ça s'ra pas long.

ROSALIE

Rapprochez vot'chaise, tante Mina, vous entendrez rien d'même.

MINA

J'aime autant m'tenir au large, au cas qu'ça pèterait.

HONORÉ

J'entends pas grand'chose, Marianna.

MARIANNA

Ça peut pas toujours marcher, han?

HONORÉ

Avez-vous fait mette une lantenne sus a maison?

MARIANNA

Ben çartain! J'ai toute faite en cachette pour la surprise. J'ai même été au bureau d'poste de Gravel pour pas qu'toute la paroisse soye au courant que j'demandais un parmis.

HONORÉ

À cré dié, vous vous êtes lancée, Marianna, c'est c'qui s'appelle ménager son effet.

MINA

Sauf qu'on n'entend rien!

ROSALIE

Chut, tante Mina, j'entends d'quoi là, moi. C'pas du vialon ça?

MINA

Mets-lé plus fort, Marianna!

MARIANNA

Ben taisez-vous, tante Mina, pis vous allez entendre: mon piton est viré jusqu'au possible, tins!

On entend un peu mieux la chanson: Je t'ai rencontré simplement (Fascination). *Tout le monde fredonne, ravi. Après, on entend un grésillement et des voix qui viennent de loin. La conversation reprend.*

ROSALIE

Eh, qu'c'est beau! Ça aurait d'l'air que tu peux pogner une émission qui vient des États, l'soir.

MARIANNA

M'as toute asseyer, tu penses ben.

MINA

Sauf que ça marche pas dans l'jour, ça.

HONORÉ

Ben voyons, ça doit marcher!

MINA

C'tu feni, là ? Ou be don on va n'entendre encôr ?

MARIANNA

Ben attendez un peu, là, ça va r'venir.

MINA

Ça aurait d'l'air qu'on peut entendre parler les hommes politiques de Québec, là-d'dans. Faismoé don parler monsieur Duplessis, là.

HONORÉ

Ah ben, si y faut qu'y parle là-d'dans, lui, moé j'm'en vas dré là.

ROSALIE

Ah ben, Honoré, v'nez pas m'dire que vous prenez pas pour lui, après toute c'qu'y a faite pour nous aut'. Monsieur va voter pour lui, çartain : y dit qu'Duplessis va nous sauver d'la crise.

MINA

Vous savez rien de c'qui s'passe encôr, là. Vous parlez au travers de vot'chapeau, Honoré. Êtesvous au courant que monsieur Duplessis a faite une enquête rapport aux dépenses publiques ? Savez-vous c'qu'y a trouvé ? Ben l'gouvarnement gaspille l'argent pis y l'donne à leu-z-amis pis à leu famille ! Creyez-lé ou non, ça aurait d'l'air que Vautrin, el minisse, là, se s'rait acheté des culottes sus not' argent d'taxes ! Ben y a toujours ben des limites : y s'acheteront pas du butin neu sus mon argent, çartain !

HONORÉ

C't'un scandale qu'on est même pas sûr, ça, tante Mina! Pis monsieur Taschereau l'a déjà payé, de sa parsonne que j'dirais. Asteure qu'on a Godbout...

MINA

V'nez pas m'bâdrer avec Godbout! Y va chier sus l'bacul, ben crère! Y vont nous mener direct à ruine, ces gensses-là. Toutes les suicides pis les vols qu'on entend parler, là, c'est parce que l'monde croyent pus à rien. Ben monsieur Duplessis, lui, y va toute r'mette ça sus l'bon sens: ça va être feni, ça, les histoires de communisses pis de juifs: y vont apprendre à s'tenir à leu place.

MARIANNA

Tante Mina, vous mélangez toute. C'pas parce que l'Cardinal Villeneuve est pour Duplessis que le...

MINA

Ben c't'un sâpré bon signe, tu sauras! Moé, j'ai pour mon dire: vote du bord d'la religion, t'es toujours sûre de pas pardre ton vote!

ROSALIE

Sauf qu'on vote pas, nous aut': y a jusse Honoré icitte qui va voter.

MARIANNA

Pis c'est pas vot' Duplessis qui va nous fére voter: y a ben décidé qu'ça vaut pas a peine de fére voter les femmes!

MINA

Ben, c't'une preuve d'intelligence. Qué cé qu'on a tant besoin d'voter, nous aut'? C'est pas nos afféres: l'curé l'a dit encôr la s'maine passée: l'Église est pas pour ça, les discussions politiques c'est pas pour les femmes, c'est trop échauffant, pis avoir le droit d'vote ça va nous monter à tête, ça.

MARIANNA

Dites donc qu'ça va trop nous délurer pis qu'y vont être obligés de t'nir compte de nous aut'.

HONORÉ

Ben voyons, Marianna, vous influencez l'vote même si vous votez pas, c'est l'principal.

ROSALIE

Ah oui, ça, c'est ben vrai.

MARIANNA

Ben moé, j'ai parsonne à influencer, pis j'aimerais autant voter de moi-même, c'est plus sûr. On sait jamais, y en a qui virent leu capot d'bord jusse une fois rendus au pole.

MINA

(Cherchant dans sa sacoche.) Aussi ben qu'tu votes pas: tu vois ben qu't'es partie contr'el seul bon candidat. Fais-tu exiprès d'être toujours dans l'contraire du bon sens?

ROSALIE

Qué cé qu'vous charchez, tante Mina?

MINA

Ben, j'l'ai pas apporté! Mais j'vas vous l'donner, Honoré. Dret demain, j'vas vous apporter l'catéchime des électeurs que monsieur Duplessis a écrit pour du monde comme vous. C'est marqué là-d'dans l'histoire des culottes à Vautrin, pis plein d'aut-z-afféres. Y a les questions pis les réponses, pas d'soin, on peut pas s'tromper. C't'un catéchime à part de t'ça, c'est presquement un livre de messe.

HONORÉ

Mais c'est l'premier minisse lui-même qui s'présente dans not' comté.

MINA

Godbout! Pftt! Y a été mis là par Taschereau, y a forcé a province. Quand cé qu'on l'voit à part de t'ça? Jamais. Y fait campagne ailleurs, y est ben occupé.

ROSALIE

Monsieur y dit qu'l'avocat Bilodeau est un jeune qui va aller loin.

MINA

Pis y a raison! Y a ben qu'trop raison! J'y ai serré la main à sortie d'la grand'messe, dimanche passé: y a l'air d'un bon garçon, un garçon de bon accord. Pis y faut être toqué comme vous, Honoré, pour pas le r'connaître. C'est l'curé Fillion qui me l'a présenté, fa que, dégnaisez-vous!

HONORÉ

Vot' Duplessis, là, y est pour les gros trusts: c't'un maniganceux d'la pire espèce qui a déjà divisé son parti, pis y a pas feni d'fére du mal.

ROSALIE

Mais Honoré, les Jeunesses-Canada sont pour monsieur Duplessis.

HONORÉ

Ça m'changera pas l'idée, Rosalie.

MINA

Z'êtes rien qu'un astineux: organisez-vous don pour aller fére la guerre.

MARIANNA

Ah tante Mina, vous dites n'importe quoi!

MINA

C'est ça! Dis donc que j'radote! Pis ça voterait Godbout! Faut pas en savoir long. Cé qu'ça t'donne de lire tant d'livres, si t'apprends jamais rien? Faut s'escompter chançeux qu'les têtes croches comme toé votent pas!

MARIANNA

J'ai p'tête une tête croche, mais vous, vous l'avez proche du bonnet sus un maudit temps!

MINA

Ben, c'est l'boutte! Si vous pensez que j'vas rester ben longtemps dans une maison qui est du bord à Godbout, l'démancheux d'province, el voleur de bien public, vous vous trompez.

Elle veut s'en aller.

HONORÉ

Rassisez-vous, là, tante Mina. On n'est pas pour fére un esclandre pis pus s'parler rapport à politique.

MINA

Sers-toé d'ta radio, pis écoute-lé parler, Marianna: c't'un homme de bon sens qui va nous sauver pis qui va garder l'monde din campagnes en s'organisant pour qu'on aye not' dû.

HONORÉ

C'pas faite, ça!

MINA

Ben, ça s'est jamais faite du règne des libéraux en toué cas. Moé, au moins, chus d'mon temps, Honoré, chus capable de voir quand cé qu'les temps changent, pis j'fais pas des reculades qui ont pas d'bon sens en votant rouge, jusse parce que la famille a l'a toujours été rouge. Pis Albert dit pareil à moé.

HONORÉ

Ben, c't'un veau! Un maudit vendu! C'est du monde de même qui vont mette la bisbille dans l'pays!

MINA

Ben c'pas un Adélard Godbout qui va nous munir cont' les Anglais, les Juifs, pis les communisses. Pis vous viendrez pas parler de contr' mon gars çartain: j'laisserai pas un rouge dire un mot plus haut qu'l'aut' sus mes enfants!

HONORÉ

Les communisses! Des inventions pour fére peur aux gensses d'la campagne! C'en est un beau, vot' Duplessis avec ses communisses. Y dirait n'import-en quoi pour avoir les curés pis les femmes de son bord.

ROSALIE

Ah ben, monsieur aussi est pour Duplessis, pis y est pas l'seul, Honoré!

MINA

Maudit boqué! T'é pardras ben tes élections! Laisse ben fére, Rosalie, c'est lui qui aura d'l'air el plus fou.

HONORÉ

Y est déjà pour Hitler vot' Duplessis, son catéchime y l'a singé sus lui: c'est du pareil au même.

MINA

Pis? Qué cé qu'vous avez contr' lui, Hitler? Au moins y fait d'quoi, lui! Y aide en Espagne contr' les communisses, y s'est faite ami avec Mussolini, y fait pas rien qu'parler comme d'aut' qu'on nommera pas.

HONORÉ

Qui cé qui s'en va en guerre, là han, qui? Avec vos histoires on va fenir par aller aider les anglais à sauver leur honneur. Comme si on avait été ergagnant avec eux aut' à date.

MINA

Ben c't'en masse trop pour moé, ça. J'resterai pas dans une maison qui abrille d'la graine de bolchévique. Fais c'que tu voudras, ma nièce, mais moé, je r'mettrai pas les pieds icitte tant qu'tu recevras des sauvages pis des arriérés. Tu peux garder ta radio pour tes veillées quand tu s'ras tu-seule à cause parsonne voudra pus t'visiter avec la réputation qu'ça va t'fére...

HONORÉ

Voyons donc, tante Mina, c'pas sérieux, on est pas pour se bouder pour des afféres de politique: ça l'a pas d'bon sens.

MINA

J'appellerais ça un afféré d'honneur, Honoré, si ça vous fait rien: on est pas accoutumé dans famille à s'fére traiter d'vendu. J'me sens insultée dans mon fils, vous saurez. Bonsoir, ma nièce. Je r'viendrai quand tu sauras te t'nir avec des vrais *gentlemen*, pas des hommes engagés mal embouchés, pis trop flanc-mous pour s'trouver une position à salaire. Bonsoir!

Elle sort dignement. Rosalie est effarée. Marianna ferme sa radio.

HONORÉ

Voulez-vous qu'j'aille la qu'rie, Marianna? Chus ben paré à m'excuser, mais chus pas sûr de son accord pantoute.

MARIANNA

Non, non Honoré: quand tante Mina pogne el mors aux dents, c'est malaisé de l'arrêter.

ROSALIE

Ça va s'jaser d'main, ça. Ça s'arrêtera pas là. Pourvu qu'monsieur apprenne pas que j'tais là.

MARIANNA

Pis? Pis? T'as ben l'droit d'avoir un idée toi avec, même si t'as pas l'droit d'voter.

HONORÉ

Maudit vernol que c'est désolant: toute vot' belle veillée qui va en pâtir. Vous me l'pardonnerez ben jamais Marianna.

MARIANNA

Assisez-vous, Honoré. Prendriez-vous un *porter* pour vous r'mette? Pis toé, Rosalie, prendrais-tu un thé avec mes p'tits pets au chocolat?

ROSALIE

Ben çartain Marianna! J'lé-z-é pas crémés pour à rien, on va s'bourrer.

HONORÉ

Vous êtes sûre que ça vous achale pas que j'resse? Après c'que j'ai dit, j'comprendrais, rapport à vot' réputation...

MARIANNA

Tu-tut-tut Honoré, pas question qu'vous partiez! Demain, la maison va être à même place, ça l'aura pas changé grand'chose: c'est des mots toute ça.

HONORÉ

N'empêche, ça faisait une bonne escousse que j'avais pas dit des gros mots d'même. Vous allez m'penser chicaneux.

ROSALIE

Vous, Honoré? Ça l'aurait toujours ben pas d'allure, une bonne pâte comme vous. Un des premiers à fére ses Pâques.

MARIANNA

(En riant.) Mais un rouge... par exemple.

HONORÉ

Hé qu'vos gâteaux sont bons, Marianna. Qué cé qu'vous mettez d'dans, pour l'amour?

MARIANNA

Un affére ben spéciale, Honoré: d'la fleur Ogylvie sassée par deux fois!

HONORÉ

Vous riez d'moé!

MARIANNA

Ben çartain! À vous entendre, parsonne fait des gâteaux comme moé.

ROSALIE

Ah... sont pas piqués des vers, Marianna, faut l'dire.

MARIANNA

J'sais pas si on pourrait pas s'rasseyer sua radio. P'tête que ça jouerait?

ROSALIE

Oh oui: asseye de pogner les États: c'est d'la vrée belle musique.

Musique douce. L'éclairage descend. L'automne.
Les draps d'été sont enlevés. L'éclairage revient et Marianna entre dans la cuisine avec un panier plein de draps tout raides. Rosalie la suit.

MARIANNA

Mon linge est aussi raide qu'une cornette de sœur. Y a pas à dire, han, l'hiver est quasiment là. On aura pus besoin d'Fly-Tox avant longtemps.

ROSALIE

J'ai savonné pis étendu les changes du bebé à matin, pis j'ai toutes les mains craquées à force de mé geler.

MARIANNA

Assis-toé ras du poêle, pis chauffe-toé un peu, Rosalie. Prendrais-tu une p'tite Ovaltine?

ROSALIE

Non, non marci, j'ai pas grand' temps. J'v'nais voir si t'avais affére au village, faut que j'parte aux provisions.

MARIANNA

Pis là, t'es t'en route, j'gage?

ROSALIE

En plein ça! Ah, j'peux rester un gros vingt menutes: j'vas ben plus vite que madame, pis j'coupe au travers du champ à Gaspard, en allant jusqu'au trécarré, ça m'sauve du temps.

MARIANNA

Cé qu'a dit de t'ça qu'tu viennes icitte, ta patronne?

ROSALIE

Ah, a n'en fait pas d'cas. J'calcule qu'est ben fière que j'aye pris amitié sus une veuve propriétaire.

MARIANNA

Mais qui a pas un token!

ROSALIE

T'as dû t'casser en achetant ta radio, han?

MARIANNA

Penses-tu! C'est mon frére qui m'avait envoyé d'l'argent pour que j'm'équipe en agréments: j'l'ai pas dit parce que tante Mina aurait faite son deuxième scandale là-d'sus.

ROSALIE

Comment cé qu'a va?

MARIANNA

J'pense qu'est encôr bleue d'rage pis bleue tout court. À mon idée, ça y a pas plusse faite de gagner ses élections : c'est rendu qu'a pavoise partout dans paroisse.

ROSALIE

Viens pas m'dire qu'a t'palle pus ? A s'est pas déchoquée ?

MARIANNA

Ah, a m'fait toutes les politesses quand a m'voit dans rue ou be don à messe, mais a vient pus fére son tour d'après-medi. Sa bru m'a dit qu'a vire dans maison pis qu'a charche el moyen de r'venir sans parde la face.

ROSALIE

C'est-tu fou...

MARIANNA

Ah, a l'a a couenne dure ! N'importe : j'irai ben m'fére pardonner avant les Avents : ça s'ra ma maniére de commencer à fére pénitence.

ROSALIE

Veux-tu dire que tu verras pus Honoré ?

MARIANNA

Ben voyons, a l'a dit ça d'même parce qu'a l'était échauffée.

ROSALIE

Ben chus ben contente si ça s'arrange. Quand on a une famille, aussi ben d'en profiter, han ?

MARIANNA

C'est sûr. Sais-tu qu'on a quasiment l'impression qu'on est d'la même famille toué deux?

ROSALIE

Ben... si on r'garde les fois qu'on s'voit, ça r'vient au même.

MARIANNA

Parlant d'famille... j'avais eu vent que l'neveu de madame viendrait fére son tour à l'automne... c'tait-tu des menteries, ça?

ROSALIE

Ah, t'avais eu vent de t'ça, toi? Ben oui... ça aurait d'l'air de t'ça.

MARIANNA

T'as pas l'air excitée de l'voir rappliquer. T'as déjà oublié ta flamme?

ROSALIE

Ben non! Mais ça va être ben tough : j'te dis qu'monsieur pis madame y ont pas feni de m'guetter. Jusse comme y commençaient à slacker... Pis à part de t'ça, p'tête qu'y s'ra pas l'même d'hier.

MARIANNA

On sait jamais. En toué cas, tu vas savoir c'qu'y t'voulait avec sa lettre.

ROSALIE

J'aimerais presquement mieux pas.

MARIANNA

Tu l'cré-ty capable d'avoir voulu rire de toé?

ROSALIE

Chus prête à crère n'importe-en quoi: c'pas d'avance el yable. Pis si y voulait m'fréquenter, me semble qu'y m'arait faite signe.

MARIANNA

C'est pas mal compliqué pour lui, tant qu'y s'ra pas en majorité d'âge. Mais y resse que c'est plus prudent pour toé de pas t'fére des espérances pour à rien. Si y veut d'quoi, y l'demandera ben.

ROSALIE

C'est en plein ça que j'me dis asteure. À part de t'ça, c'est compliqué rapport à mes patrons: y m'guettent assez! Aussi ben toute oublier ça, j'me trouverai un promis d'ma sorte.

MARIANNA

Pis t'auras pas d'mal avec la margoulette que t'as.

ROSALIE

En autant qu'y s'fassent pas toutes pogner pour aller fére les soldats, j'm'organiserai ben.

MARIANNA

Ben voyons donc, c'est des racontars, ça. Ça fait des années qu'on en parle d'la guerre, pis y en aura pas plusse pour autant. Tout l'monde parlait qu'y aurait pas de Jeux Olympiques à Berlin c't'année, ben, tu vois, y viennent de fenir. Toute ça, c'est des histoires pour fére peur, fais-toé-z-en pas.

ROSALIE

Aye, faut que j'voye à mon affére, moé, pis vite: chus en retard.

MARIANNA

Moé avec, faut qu'je r'passe, c'pas dimanche!

ROSALIE

À betôt, Marianna!

MARIANNA

C'est ça, bonne journée!

Rosalie sort. Marianna ouvre sa radio. L'éclairage baisse. Quand il remonte, Marianna est à se servir de la soupe. Des piles de linge sont sur la table. Le panier est vide. C'est le soir, les lampes sont allumées. La radio joue une petite musique. Marianna lit en mangeant. Rosalie entre en courant. Elle est terrifiée, oppressée.

ROSALIE

Marianna... a barre-tu plusse, la porte, a barre-tu plusse?

Rosalie recule vers une extrémité de la pièce.

MARIANNA

Rosalie! Qué cé qu'y a? Qué cé qui s'passe? Y a-tu quequ'un qui t'suit? Rosalie, répond!

Rosalie s'assoit par terre dans un coin

et se met à se bercer en poussant de petits gémissements d'essoufflement. Marianna barre la porte, tire les rideaux, ferme la radio et va près d'elle.

MARIANNA

Rosalie, j'ai toute ben barré, crains pas. Toute est barré. Parsonne va v'nir te charcher, tu vas rester icitte avec moé. J'vas t'garder, a pas peur.

ROSALIE

(Lève la tête et fait non.) Marianna... Marianna...

MARIANNA

Viens t'assire dans barçante, m'as t'abrier avec une couvarte, tu vas arrêter de geler, t'as toute la tremblotte. O.K. Rosalie? Viens à ras moé, dans barçante.

Marianna la prend par la main, l'assoit, lui enveloppe les genoux avec une couverture. Rosalie regarde la porte.

MARIANNA

Parsonne peut venir. Y passe huit heures. J'ai toute barré ben correque, Rosalie. Veux-tu j'retourne tchecker pour plusse de sûreté?

ROSALIE

NON! Va-t-en pas Marianna... laisse-moé pas tuseule avec...

MARIANNA

Chus là, chus là... crains pas. Crains rien, Rosalie, chus là...

Marianna prend une chaise et s'assoit auprès d'elle. Elle caresse son front doucement en enlevant une mèche de cheveux sur la tempe.

MARIANNA

Tu t'es faite mal, Rosalie, t'as du sang sus l'front: tu veux-tu j'vas te l'soigner?

ROSALIE

Non! Touche pas!

MARIANNA

J'y toucherai pas, on arrangera ça plus tard. T'es-tu tombée dans noirceur?

ROSALIE

La noirceur?

MARIANNA

T'es-tu tombée en t'en v'nant, Rosalie? Tombée dans l'fossette en t'en v'nant icitte?

ROSALIE

Marianna, Marianna... qué cé qu'on va fére si y r'vient?

MARIANNA

Qui ça? Qui, Rosalie? Qui t'a faite peur? Qui qui t'a faite du mal? Tu veux-tu l'dire?

ROSALIE

... pas capable...

MARIANNA

Prends ton temps, Rosalie. Si tu peux... conte-moé c'que tu faisais, où c'que t'étais avant d'avoir peur.

ROSALIE

Avant?... ah avant, ça j'peux l'dire. C'tait après l'souper, quand les p'tits étaient toutes couchés. Moé, j'avais feni l'sarvice, pis j'faisais la vaisselle dans cuisine. J'avais faite chauffer mon eau, pis là, j'empilais les assiettes sales dans l'évier. J'pensais, tu comprends, j'avais pas toute la tête à c'que j'faisais, vu qu'Florent s'était pas montré, pis qui était pas v'nu, comme prévu. Quand... quand on fait la vaisselle dans cuisine, on a l'dos qui vire à porte... à porte qui donne dans l'couloir, pis dans maison. On... on voit pas si quequ'un s'adonne à rentrer pis à v'nir... moé, moé j'lavais mes assiettes pis j'pensais... p'tête c'est pour ça que j'l'ai pas entendu rentrer, han?

MARIANNA

Florent? C'est Florent qui est rentré?

ROSALIE

Non... non... pas Florent, pas lui... C'tait, c'tait monsieur. Y m'a dit: «A travaille tard la Rosa, c't'une bonne bonne, ça.» Pis y a parti à rire, y trouvait ça drôle, tu comprends? Pis là, j'ai enlevé mes mains de dans l'eau, pis j'y ai d'mandé si y voulait d'quoi, si j'avais oublié queque chose. Pis y a dit: «Non, pantoute, r'tourne à ta vaisselle, Rosa.» Là, j'ai d'mandé si madame avait besoin, elle. Pis y a dit que madame avait mal à tête, ben mal à tête à soir. Là, j'ai dit qu'j'allais aller voir à madame, pis chus v'nue pour y aller. Là, y m'a pris les deux mains ben fort, rien qu'dans une main, pis y m'a tirée jusqu'à temps d'l'évier, pis y m'a mis les mains dans l'eau avec les siennes, y mouillait toute sa manchette de ch'mise, pis y a dit, ben fâché: «J'ai dit reste icitte, madame a veut rien.» Là, j'ai commencé d'avoir peur parce qu'y sentait: j'avais pas vu qu'y avait un verre din mains, mais c'tait ça. Pis ça sentait, comprends-tu, ça sentait fort, comme si y était ben en boisson. Pis y avait des yeux qui brillaient, ben gros, pis comme l'air fâché, ben ben fâché... Fa que j'ai continué ma vaisselle sans rien dire, mais j'avais peur: y était jusse en arrière de moé, pis je l'entendais souffler, pis même l'odeur là, l'odeur sentait... Pis là, y a commencé à parler d'Florent... pis y trouvait ça drôle, y disait qu'j'avais la falle basse parce qu'y était pas venu, pis j'me pensais encôr assez fine pour qu'y s'occupe de moé, même si j'serais une bonne. Y a dit qu'les bonnes, fallait qu'ça reste à sa place, pis qu'ça r'garde pas plus haut, même si y étaient plaisantes à voir, comme moé... j'ai voulu répondre, mais quand y a dit ça, y s'est rapproché, pis y s'est collé sus moé par en arrière, pis y s'est mis à m'toucher partout en disant: «Est-tu bonne, c'te bonne-là, est-tu si bonne que ça?» Pis y touchait fort, pis y m'emprisonnait dans ses jambes, pis ses mains, ses mains... y, y touchaient partout, y... y prenaient partout, pis y l'vait ma robe en tirant comme pour la déchirer, pis... ça sentait, ça sentait parce qu'y soufflait fort... pis y m'mouillait toute, y m'lichait dans l'cou, partout, comme si y s'rait un chien... moé, j'avais peur, j'charchais à m'sauver, mais j'avais les deux mains dans l'eau sale, pis j'avais peur de l'salir pis de l'mouiller en l'poussant... avec mes mains sales. J'y disais: «Monsieur, s'il vous plaît... monsieur, faites pas ça... monsieur.» Pis là... là... y a trouvé que j'bougeais trop ou ben que j'parlais trop, y m'a r'virée contr' l'évier, pis y a mis sa main sus ma bouche, pis y a dit: «Farme ta gueule, farme ta gueule la bonne, monsieur va s'sarvir d'la sarvante qui est prête à faire des faveurs à son neveu, a n'a des belles faveurs, la bonne, a va les fére à monsieur»... J'comprenais pas, j'comprenais pas pourquoi qu'y disait ça, j'voulais crier, j'me sus débattue, j'voulais partir en courant, me sus mis à l'égrafigner avec mes mains, mais y continuait, y m'lichait, y puait, y m'mordait dans bouche, partout... pis là, là y a mis ses mains en d'sour, en d'sour, pis y a touché... fort... pis y faisait des bruits, comme une bête, pis j'avais peur: j'ai pogné la mopette dans l'eau sale, pis j'ai cogné, pis cogné, pis cogné... ça y faisait rien on dirait, jusqu'à temps qui m'pogne pis qu'y m'tire par terre, j'ai pardu la mopette, ma tête a frappé d'quoi, j'pense, y s'est tiré sus moé, y sentait, y sentait tellement... y pesait sus ma tête avec ses mains, pis j'voyais jusse la mopette à côté, pas loin, j'voulais la pogner pis y sacrer un coup, j'pouvais pas, y était trop pesant, pis y soufflait, pis ses mains, pis les coups, les coups qu'ça faisait, qu'on aurait dit qu'y voulait m'tuer, passer en travers de moé... y a... y a... faite un drôle de bruit, pis y a lâché ma tête une seconde, pis là j'ai crié, j'ai crié un coup, rien qu'un, pis ça y a faite assez peur, qu'y s'est levé, y m'a r'gardée pis y est parti en disant: «Farme ta gueule, la bonne, sans ça, j't'égorge comme un cochon. Farme ta gueule, parle pas de t'ça à parsonne.» Pis y est parti. J'ai pas attendu, chus partie en courant... me sus t'en v'nue icitte... Garde-moé, Marianna, laisse-lé pas v'nir me charcher... barre la porte.

MARIANNA

Est barrée... est barrée, Rosalie. J'vas t'garder... parsonne d'aut' que moé pis toé... j'vas t'garder Rosalie, à pas peur.

Elle fait un geste pour la toucher.

ROSALIE

NON! Fais attention, j'pue, ça sent, ça sent fort, ça pue... chus pleine de bave... faut pas toucher.

MARIANNA

J'vas fére chauffer d'l'eau Rosalie, pis tu vas t'laver. Pis les ch'veux avec, tu veux-tu, Rosalie?

ROSALIE

M'laver... m'laver... j'ai pas toute lavé la vaisselle... chus partie sans laver ma vaisselle... j'veux pus y aller, Marianna j'veux pus jamais aller là, promets-lé, promets-lé, Marianna.

MARIANNA

Tu iras pus jamais, tu peux t'fier. J'vas y voir.

ROSALIE

Pleine de bave... lichée, mordue... sais-tu... sais-tu si ça s'peut qu'monsieur y aye la rage? P'tête que j'ai attrapé la rage?

MARIANNA

Penses-y pus Rosalie, penses pus à monsieur. J'vas aller fére chauffer d'l'eau, pis tu vas prendre aussi un verre de vin chaud sucré, tu veux-tu Rosalie?

ROSALIE

Ah oui, comme quand j'avais l'rhume pis j'tais p'tite. Resse Marianna, tu veux-tu? Les sœurs vont être choquées qu'chus partie, tu vas-tu leu-z-expliquer pour moé? Veux-tu leu dire? J'pourrai jamais leu dire...

MARIANNA

Oui, j'veux Rosalie... tranquillise-toé, chus là. *(Elle la touche doucement.)* Chus là... crains rien.

L'éclairage baisse très lentement. Le lendemain, Marianna est seule dans la cuisine, assise dans la berçante, son livre fermé sur les genoux. Les piles de linge sur la table n'ont pas bougé. On entend Honoré arriver. Il frappe, entre, et regarde Marianna en restant sur le bord de la porte.

HONORÉ

Chus v'nu qu'ri l'butin des Levasseur, Marianna, si ça vous dérange pas trop.

MARIANNA

(Sans bouger.) Y est pas prêt.

HONORÉ

Ah bon. C'pas grave... j'me doutais ben qu'avec l'histoire de Rosalie, vous ariez pris du r'tard. J'peux r'passer plus tard, si ça vous adonne?

MARIANNA

(Toujours sans bouger.) Quelle histoire, Honoré?

HONORÉ

Ben... le, le... heu, le scandale, là... Vous êtes pas au courant?

MARIANNA

Assisez-vous donc, Honoré.

HONORÉ

J'aime autant pas, Marianna. Si vous êtes pas au faite, j'aime autant pas vous l'dire: y a rien d'çartain.

MARIANNA

Honoré... dites-moé c'qu'on raconte.

HONORÉ

Ben, on raconte... ça aurait d'l'air... que Rosalie, heu, la bonne de monsieur pis madame...

MARIANNA

J'sais c'est qui, franchement... cé qu'a l'a faite?

HONORÉ

A s'rait supposée, que d'aucuns disent, avoir faite une follerie d'jeunesse, là... entendre parler qu'a l'aurait faite une fugue avec un homme... en, en emportant une p'tite somme de l'argent du ménage, pis, pis... sans même fenir la vaisselle, ou ben don avartir, heu résigner sa job, là... Ça c'est c'qu'on en dit, Marianna, asteure, allez savoir c'qui est vré!

MARIANNA

Pis ça s'rait qui c't'homme-là?

HONORÉ

Ah... vous voyez, ça j'saurais pas l'dire.

MARIANNA

Qui cé qui raconte ça c't'histoire-là?

HONORÉ

Ben la patronne, comme de juste. A s'est réveillée pus d'sarvante, elle, à matin. A l'est allée raconter ça au magasin, après d'être passée sus l'curé pour se plaindre à cause que c'est par lui qu'a l'avait eue. J'vous dis qu'ça a faite un esclandre dans paroisse. Un beau scandale! Surtout qu'sa réputation d'fille est en jeu: voler pis partir avec un homme, tout l'monde parle de contre.

MARIANNA

Pis vous? Créyez-vous ça, vous?

HONORÉ

Pour ben dire, là... J'ai pas gros d'idée... j'me fiais sus vous pour en savoir plus long. Mais une voleuse, ça, j'peux pas crère...

MARIANNA

Parsonne doute de t'ça? Une bonne fille comme elle? Qué cé qu'y dit l'curé?

HONORÉ

Ça aurait d'l'air qu'y est pas encôr er'venu d'sa surprise. Y dit qu'y va la fére charcher, din fois qui s'rait arrivé un malheur. Mais la patronne y a conté un histoire rapport à Florent Dubé, qu'a s'rait partie en amour avec... pis que dans l'fond

les bonnes c'est pas d'sarvice, pis pas raisonnables pour deux cennes. Moé, chus ben prête à la charcher... Mais c'est sûr que la paroisse en rajoute, han? Même que, quand chus parti, tout l'monde parlait d'la bonne du bebé Lindberg qui avait pas assez surveillé l'enfant, pis qu'c'est pour ça qu'les bandits l'auraient enlevé pis tué... Pis ben sûr, ça manque pas l'coup qu'y s'en trouve pour dire qu'une fille pas d'parent... heu, une fille orpheline, qu'on sait pas la mère, ben... ça s'rait comme dans son sang, là, le scandale, une maniére de parenté avec... avec... heu, la p'tite vartu.

MARIANNA

Comme ça, c'est c'que monsieur pis madame disent... Y sont pas trop inquiets, y ont pas avarti le corps de police?

HONORÉ

Ça aurait d'l'air que monsieur veut pas entendre parler d'la police. Y veut pas porter plainte pantoute, rapport à l'argent. Y dit qu'la pauvreté a ses lois, pis qu'a s'est faite assez d'tort à elle-même comme ça.

MARIANNÀ

Ah oui... ben sûr...

HONORÉ

Y veut pas frapper quequ'un qui est déjà dans l'malheur. C'est bon d'sa part, parce que ça l'air que madame, elle, a voudrait porter plainte.

MARIANNA

Parsonne la charche?

HONORÉ

Ben non: les patrons sont sûrs qu'est partie.

MARIANNA

Ses afféres? Son manteau? Toute est parti?

HONORÉ

Ben, ça doit, han?... Pourquoi vous d'mandez ça? Vous l'croyez pas, vous?

MARIANNA

Non.

HONORÉ

Ben d'abord... qué cé qui s'rait arrivé? A'-vous un idée?

MARIANNA

Si Rosalie r'venait Honoré, pis qu'a disait toute un aut' histoire, qui cé qu'on crérait, vous pensez?

HONORÉ

Ben... est partie vite si est partie pour fére un bon coup. C'est sûr qu'y faudrait qu'ça soye prouvé son histoére, sans ça, l'monde vont crère ses patrons.

MARIANNA

C'est ben c'que j'pense.

HONORÉ

Qué cé qu'vous avez dans l'idée, Marianna? En savez-vous plus long?

MARIANNA

...

HONORÉ

Marianna? Êtes-vous inquiète? Voulez-vous qu'on la charche toué deux?

Rien de Marianna.

HONORÉ

Ça vous fait d'la peine, han? A va vous envoyer une lettre, chus ben assuré de t'ça. Espérez un peu, a va toute vous expliquer, c't'une bonne fille dans l'fond.

MARIANNA

Chus ben confiante, Honoré. Rosalie est mon amie. Parsonne va v'nir me parler contre.

HONORÉ

Pis c'est mon amie avec! Pis j'vas trouver l'tour de l'dire au village. Qu'j'en voye un v'nir la dénigrer d'vant moé: y va avoir un chien d'ma chienne. *(Après un temps.)* Marianna... qué cé qui vous arrive? C'est-tu l'affére de Rosalie qui vous gruge de même?

Marianna le regarde sans dire un mot.

HONORÉ

Ben crère que vous savez toute c'que parsonne sait. J'arais dû l'deviner, vous allez dire que chus pas fitté... y est arrivé malheur, han?

MARIANNA

Ben sûr... ben sûr qui est arrivé malheur.

HONORÉ

A l'a jamais partie, han, monsieur pis madame y nous chient d'la menterie à pleine face, han? Dites-lé, Marianna, c'est pas pour être senteux que j'vous l'demande.

MARIANNA

C'est malaisé parce que parsonne peut crère ça, pis parsonne aime à entendre ces histoires-là.

HONORÉ

Avez-vous dans l'idée qu'chus pareil aux aut', pas capable de rien comprendre?

MARIANNA

Non, c'pas ça, Honoré... mais qué cé qu'ça va donner que j'vous conte la vrée histoire?

HONORÉ

Ça va donner que j'vas partir dret là, vous pensez ben! J'vas aller la défendre. J'vas découdre el scandale.

MARIANNA

Pauvr' Honoré, vous allez changer quatre trente sous pour une piasse.

HONORÉ

Qué cé qu'vous voulez dire? L'aut' histoire est-tu aussi pire?

MARIANNA

Honoré, y a des afféres qu'on peut pas changer au risque d'en pâtir encôr plusse. Y a toujours eu des gensses capables de marcher sus l'beurre sans s'graisser les pattes... pis monsieur connaît l'truc.

HONORÉ

(Après un temps.) Monsieur?

Honoré comprend sans rien dire. Marianna fait signe que oui.

HONORÉ

Pis la p'tite est icitte comme de raison? *(Autre signe affirmatif de Marianna.)* J'peux pas crère, j'peux pas crère, Marianna... y ont faite ça, j'peux pas crère... Y faut l'dire, Marianna, y faut l'salir: on peut pas l'laisser gagner d'même, maudit vernol, faut l'dire!

MARIANNA

Qué cé qu'on parlait t'à l'heure? La parole de monsieur contr' la parole d'la sarvante... une sarvante qu'on sait pas c'est qui la mère... pis qui trouve el tour d'être belle fille en plusse... de d'là à dire qu'y a des avances pis des agaceries qu'a l'aurait eues...

HONORÉ

Marianna, arrêtez!

MARIANNA

Qué cé qu'vous aimeriez à entendre, Honoré? Qu'y a d'la justice pis qu'Rosalie a pas toute pardu? Vous savez ben qu'un homme de même, c't'indépendant comme un cochon sua glace en hiver, pis qu'ça s'ra jamais Rosalie qui va être ergagnante dans c't'histoire-là.

HONORÉ

Je l'sais ben qu'trop, Marianna, mais ça m'met l'feu quand même: quand j'pense qu'y en pâtira même pas, lui...

MARIANNA

Y resse jusse à espérer qu'ça l'aye pas des suites pour elle.

HONORÉ

J'peux pas crère... *(Très touché et démonté, il marche dans la cuisine. Il s'arrête près de la fenêtre et regarde.)* Tins... y s'est mis à neiger... la premiére nége, encôr un hiver qui s'installe.

MARIANNA

C'est ça, ça recommence: encôr un hiver, encôr l'ennuyance.

HONORÉ

Cé qu'vous allez fére?

MARIANNA

Y a pas trente-six solutions, vous l'savez aussi ben qu'moé.

HONORÉ

Marianna... même si c'est pas l'temps d'parler de t'ça, j'vous l'dis au cas... quand vous voudrez, à vot' convenance là, si jamais l'cœur vous en dit, sarvez-vous d'moé.

MARIANNA

Ça donnera rien à parsonne d'en salir un d'plusse. Marci quand même.

HONORÉ

(S'approche d'elle timidement.) Marianna... j'voudrais vous dire, c'est malaisé... heu, si j'vous disais qu'y a jamais moyen d'fére pousser des fleurs sans mette de fumier, pis qu'aujourd'hui, j'aimerais figurer qu'ça soye autrement... j'ai peur de vous pardre, Marianna... j'vous sens rétive comme une bête en danger, pis j'vous comprends... C'pas moé qui a posé l'collet, pis c'pas moé qui pourrais vous déprendre : j'ai beau charcher, j'peux rien fére... pis c'est comme si c't'homme-là, dans son vice avait eu l'bras plus long qu'y pensait, pis qui nous arait toutes attrapés du coup. *(Il la regarde.)* J'ai du respect pour vous, Marianna, du respect pis d'l'amour... c't'un malheur effrayant qui nous arrive.

MARIANNA

Pis on peut rien fére contr' ça, Honoré, rien. Parce qu'icitte, c'est l'silence qui mène.

HONORÉ

Figurez-vous de r'venir un jour, Marianna ? Din coup qu'ça s'rait du pareil au même ailleurs ?

MARIANNA

Non. Pus jamais. J'veux pus jamais er'venir icitte.

HONORÉ

Ça me l'disait aussi... *(Il prend sa main et voit le livre sus ses genoux.)* Vous lisez, Marianna? Vous aimez ça les livres, vous... avoir le temps, moé aussi din fois j'lirais.

MARIANNA

Je l'ai feni cel-là, pis si ça peut vous fére plaisir, m'en vas vous l'laisser. J'pense pas de l'er'lire jamais.

HONORÉ

C'tait pas à vot' goût?

MARIANNA

C'livre-là m'en a appris plusse que j'pensais pis plusse que j'voulais... pis j'sais que j'peux pas attendre, Honoré, j'peux pas attendre que l'temps me fasse une place dans vie.

HONORÉ

Pensez-vous que j'vas être bon pour comprendre c'qui est écrit dans c'livre-là? Ça d'l'air compliqué que l'yable.

MARIANNA

C'est ben facile, pis ben clair.

HONORÉ

On dirait presquement que c'est ça qui vous décide.

MARIANNA

C'est pas fou... y a un boutte dans c'livre-là qui m'est resté sus l'cœur. On dirait presque que j'ai dans l'idée de l'fére mentir.

HONORÉ

Montrez-moé la place dans l'livre, au cas que je l'verrais pas, c'qu'y faut voir.

MARIANNA

Écoutez ben, Honoré, m'en vas vous l'lire: « Nous sommes venus il y a trois cents ans, et nous sommes restés... Ceux qui nous ont menés ici pourraient revenir parmi nous sans amertume et sans chagrin, car s'il est vrai que nous n'ayons guère appris, assurément nous n'avons rien oublié. (...) Nous avons marqué un plan du continent nouveau, de Gaspé à Montréal, de Saint-Jean d'Iberville à l'Ungava, en disant: ici toutes les choses que nous avons apportées avec nous, notre culte, notre langue, nos vertus et jusqu'à nos faiblesses deviennent des choses sacrées, intangibles et qui devront demeurer jusqu'à la fin. (...) C'est pourquoi il faut rester dans la province où nos pères sont restés, et vivre comme ils ont vécu, pour obéir au commandement inexprimé qui s'est formé dans leurs cœurs, qui a passé dans les nôtres et que nous devrons transmettre à notre tour à de nombreux enfants: au pays de Québec rien ne doit mourir et rien ne doit changer*... »

* Louis Hémon, *Maria Chapdelaine.*

HONORÉ

C'est beau, han?

MARIANNA

Vous trouvez? Pas moé! Chus tannée du passé, Honoré, chus tannée de t'nir el flambeau pis de trimer pour des croyances que j'ai pas: j'pense que queque chose meure, moé, j'pense que nous aut' les femmes, on meurt dans l'silence pis l'ordinaire. On porte not' passé comme un étole de fourrure, collé dans l'cou, la face enterrée d'dans, pis on voit pus rien. J'veux pas élever des enfants dans un passé qui dit qu'monsieur peut battre pis violer sa sarvante sans s'inquiéter; j'veux pus voir des Rosalie défaites pis brisées pour toujours parce que c'est la loi du désir pis d'l'homme, j'veux pas continuer l'règne de l'ennuyance, l'règne du temps égrené entre la misére pis nos marées, pis les lavages, pis les silences pis les chapelets. J'veux pas rester dans une place oùsqu'on veut que rien change, parce que j'ai pour mon dire qu'on a droit à plusse qu'une robe de georgette rose pis des fleurs plein l'église el jour de nos noces, pis l'jour d'la levée du corps. Pis c'est pour ça que j'm'en vas, Honoré. Pis j'amène Rosalie. P'tête ben que c'est pareil ailleurs, p'tête ben que l'silence pis la priére mènent partout dans l'monde, mais au moins je l'saurai parce que je l'aurai vu. Pis y a un affére ben çartaine: si jamais j'ai dans l'idée de r'venir, m'a toute er'trouver à sa place icitte, comme y disent dans l'livre.

HONORÉ

Vous me trouveriez moi avec, Marianna. À ma place, à vous attendre.

MARIANNA

Faites-lé pas, Honoré, vous avez l'cœur assez grand pour y mette deux amours. Mariez-vous, attendez-moé pas. Asteure que j'ai choisi, attendez-moé pas.

HONORÉ

Vous dites ça, mais vous pouvez pas savoir si ça s'peut pour moé d'aller vers un aut' femme. Vous pouvez pas décider pour mon sentiment. Y a des racines din fois, que si on les arrache, toute vient avec, pis l'terrain vaut pus rien après. T'as beau mette d'l'engrais, y a pus rien qui pousse. J'ai peur d'être de c'te sorte-là moi : toute d'une venue... avec jusse vous dans l'cœur.

MARIANNA

J'vous aurai faite pâtir, Honoré.

HONORÉ

Ah, y a du bon pis du méchant : p'tête que j'veux pas qu'vous partiez, Marianna, mais p'tête aussi que j'vous comprends : vous avez pas assez grand icitte, vous pouvez pas prendre vot' respir à l'aise : c'est p'tête la faute aux cuisines, rapport qu'on vous a toujours mis en d'dans, vous aut', pis qu'vous seriez du monde du dehors comme nous aut', allez don savoir... J'm'en vas lire le livre, pis m'en vas essayer de pas m'fére pogner avec les belles phrases comme t'à l'heure. Fiez-vous que j'vas fére mon gros possible, Marianna.

MARIANNA

Je l'sais Honoré.

HONORÉ

Mais faut c'que faut: asteure que j'aurai pus d'aide, m'as ben lambiner à comprendre.

MARIANNA

M'as vous écrire, moé, pis vous êtes mieux d'comprendre.

HONORÉ

Ben vrai?

MARIANNA

Juré, Honoré. M'as vous écrire sans discontinuer, parce que vous êtes un ami, pis qu'vous en rachetez ben d'aut'.

HONORÉ

Mais j'en rachète pas assez pour vous fére rester?

MARIANNA

Un alouette fait pas l'printemps, Honoré. Pis moé j'sais ben qu'on est loin du compte: j'calcule que l'hiver commence.

HONORÉ

Y a eu des hivers moins longues à l'occasion. J'ai d'jà vu un germe de tulipe de trois pouces en plein mois d'mars. Les ch'mins peuvent défoncer plus vite que vous pensez, Marianna.

MARIANNA

J'demande pas mieux, moé.

HONORÉ

C'est frisquette ici-d'dans. Voulez-vous que j'vous fasse un peu d'bois, Marianna?

MARIANNA

C'pas de refus. Après, on s'fera un café. J'voudrais organiser l'départ pis régler mes afféres : j'cré ben qu'j'aurais une vente de pression à vous fére.

HONORÉ

Vous allez avoir d'affére à barguener dur. Espérez-moé.

Il sort. Il enlève le drap d'automne. Celui de l'hiver apparaît. Rosalie entre dans la cuisine.

MARIANNA

Ça t'a réveillée, Rosalie? Inquiète-toé pas, c'tait parsonne d'épeurant.

ROSALIE

(S'approche de la fenêtre et regarde.) Y neige... les enfants vont être contents...

MARIANNA

C'est vrai... l'hiver ça fait pas peur aux enfants.

ROSALIE

Marianna... si tu veux, si tu m'gardes... chus ben prête à être ta sarvante. T'arais jusse à m'garder au ras toé, pas besoin de gage, rien. Tu veux-tu? Comme ça, j'serais correque, j'aurais pus peur.

MARIANNA

(La prend dans ses bras.) Non, Rosalie, j'veux pas. Tu vas rester avec moé. Mais tu s'ras pus une sarvante, ça, pus jamais.

ROSALIE

Mais j'sais rien fére, Marianna. J'sers à rien.

MARIANNA

On va apprendre, pis c'est toute. On va fére comme tout l'monde, on va apprendre, pis on s'trouvera ben d'quoi. On n'est pas nées pour être en d'dans, on est du monde du dehors nous aut' avec. Ça prendra l'temps qu'ça prendra mais moé, j'veux d'aut' chose que l'ordinaire de toué jours. J'veux plusse. Pis crains pas, on a eu d'l'endurance à date pour la misére pis les avés, on n'aura ben pour s'patenter d'quoi sans s'fére pilasser. Pis j'ai espérance que ça prendra pas trois cents ans.

FIN

Marie Laberge

C'était avant la guerre à l'Anse-à-Gilles

Dossier

Belle et rebelle Marianna

Entrevue avec Marie Laberge
par Pierre Lavoie

La poésie n'est pas que belle
elle est rebelle.
Il y a des centaines de silences
qui assassinent pendant des
siècles et des siècles.
Nos oreilles sont là pour nous
tenir éveillés.
Il y a des réveille-matin qui
sonnent
comme des clairons.
Il y en a peu qui chantent des
berceuses.

Poème de Raoul Duguay,
dit par Julos Beaucarne.

Si, depuis sa création sur scène et sa publication en 1981, *C'était avant la guerre à l'Anse-à-Gilles* a connu de nombreuses reprises et plusieurs rééditions, c'est que cette pièce dont l'action se situe en 1936 est plus actuelle que jamais, inscrivant ses questionnements dans un Québec toujours en devenir, en proie au doute, à l'indécision, à la peur d'assumer pleinement son destin et sa différence, devant affronter l'obligation, sans cesse repoussée, de devoir effectuer un choix.

Dans ce Québec d'autrefois où «rien ne doit

mourir et rien ne doit changer», où seul le passage immuable des saisons rythme la vie, dans ce Québec sur le point d'être recouvert par la chape de plomb de la Grande Noirceur du régime duplessiste, où se profilent les spectres de la crise économique, de l'oppression et de la violence faite aux femmes, de la lutte entre les possédants et les démunis, rien n'a véritablement changé. En effet, près de soixante ans plus tard, le Québec est de nouveau au cœur d'une crise économique majeure, écrasé par un déficit de plusieurs milliards de dollars; les femmes continuent d'être violentées et assassinées; l'écart entre les riches et les pauvres ne cesse de s'agrandir. Hélène Jutras, cette jeune femme que «le Québec tue», n'est pas si éloignée somme toute des héroïnes de Marie Laberge lorsqu'elle exprime son désir profond de partir, de quitter cette province qui l'étouffe, qui l'oppresse.

> P'tête ben que c'est pareil ailleurs, p'tête ben que l'silence pis la prière mènent partout dans l'monde, mais au moins je l'saurai parce que je l'aurai vu. (Marianna)

Il faut relire la fin de cette pièce, les propos désespérément lucides de Marianna, pour constater que, même si le Québec est passé avec une rapidité fulgurante de l'ère de la communication (l'apparition de la radiophonie dans les années trente) à celle de l'information (l'apparition des nouvelles technologies), rien n'a véritablement changé, que ce pays est toujours à la croisée des chemins, hésitant devant l'avenir, reculant devant l'obstacle.

Au cours d'une enquête effectuée en 1988 par Gilbert David auprès de dix observateurs professionnels de la dramaturgie québécoise, à qui était posée la question suivante: « Quelles pièces rejouer d'ici l'an 2000? », j'avais, pour ma part, inscrit cette pièce de Marie Laberge dans mes cinq premiers choix[1].

La force de sa structure, la puissance évocatrice de la langue des personnages, le ciselé de l'écriture, l'acuité des propos soulevés dans cette œuvre (l'étouffement de l'individu par les forces sociales et familiales), tout concourt à renforcer cet alliage de l'épique et de l'intimiste. Cette tragédie de l'histoire conjuguée au présent m'apparaît toujours comme portée par le temps, hors du temps. Elle continue de faire revivre dans ma mémoire ces personnages habités par un destin plus grand qu'eux, en lutte contre des forces extérieures, ou contre eux-mêmes.

Dans *C'était avant la guerre à l'Anse-à-Gilles,* Marianna, Honoré et Rosalie, la famille élective par excellence dans l'œuvre de Marie Laberge, tracent le long chemin à parcourir pour transformer l'histoire et créer de nouveaux rapports entre les hommes et les femmes, entre parents et enfants. S'ils n'ont pu eux-mêmes atteindre cette terre affective, cette terre promise, freinés par une histoire qui n'était pas encore la leur, qui n'est toujours pas la nôtre, ils indiquent la voie à suivre pour tenter de vaincre la fatalité[2].

---

1. « Pris au piège », dans *Cahiers de théâtre Jeu,* n° 47, 1988.2, p. 117-121.
2. Ce paragraphe concluait la communication que j'avais présentée au colloque « Marie Laberge » organisé par l'École française d'été de l'université McGill. « Le trio infernal ou De l'impossibilité d'aimer », dans *Marie Laberge, dramaturge,* sous la direction d'André Smith, Montréal, VLB éditeur, 1989, p. 130.

À l'occasion de la réédition de *C'était avant la guerre à l'Anse-à-Gilles,* Marie Laberge m'a proposé, en guise de postface, de publier des extraits d'une entrevue qui avait été réalisée en 1981 par Gilbert David et moi-même[3], dont une partie portait sur cette pièce. Tout en acquiescant à sa demande, j'ai cru bon de prolonger cet entretien, quatorze ans plus tard, en posant à Marie Laberge trois questions qui découlent directement de cet entretien. Elle a bien voulu accepter de jouer le jeu et de répondre à ces questions par écrit. On trouvera donc, ci-après, l'extrait de l'entrevue de 1981, suivi des réponses aux questions d'aujourd'hui.

Marianna: non à Maria et aux Yvette

En ce qui concerne *C'était avant la guerre à l'Anse-à-Gilles* et *Ils étaient venus pour...,* ces deux pièces n'auraient pas existé comme cela si je n'avais pas fait des recherches auparavant. Les recherches, c'est ma passion, cela me fait plaisir. Présentement, je sens à quel point c'est dangereux parce que la profondeur de mon écriture ne tient pas du tout au facteur historique. J'aime lire les vieux journaux. J'aime la langue ancienne, l'étymologie des mots, la chaleur que contiennent certains mots.

Pourquoi l'année 1936? Parce que historiquement, je me suis rendu compte qu'il y a eu des années charnières dans notre histoire, dans notre politique. Pour moi, par exemple, les Yvette[4], c'est

3. « Marie Laberge », dans *Cahiers de théâtre Jeu,* n° 21, 1981.4, p. 51-63.

4. Au printemps de 1980, une importante manifestation de femmes, réunies au Forum de Montréal par le Parti libéral du Québec, s'est élevée contre les propos tenus par le

un événement charnière, même si cela ne fait pas notre affaire. C'est très important. C'est la première fois que les femmes ont eu un droit de parole et elles ont choisi d'être réactionnaires. Mais pourquoi? Par assimilation au monde bourgeois des maris? Par assimilation au fait que le pouvoir est du côté réactionnaire? Parce que le plus qu'elles pouvaient faire, c'était de prendre la parole? Pourquoi avoir appuyé cela? Il m'est venu des idées terribles pour écrire cette pièce-là. Mais c'était violent comme option. Le déclencheur de *C'était avant la guerre...*, c'est la peine que cela m'a fait de voir que les femmes, quand elles avaient le droit de parole, quand elles ont enfin eu une tribune, ce sont ces propos-là qu'elles ont tenus. Le propos de la victime consentante. Pourquoi choisir cela? Pourquoi leur souffrance historique, quand elles peuvent l'exprimer, s'exprime-t-elle dans le monde de leurs oppresseurs? L'année 1936 m'est apparue comme une charnière parce que le féminisme était extrêmement virulent dans ces années-là. Le féminisme était une valeur aussi sûre qu'elle l'était en 1970. Je me suis rendu compte, après bien des recherches, qu'on s'est aperçu en 1979 que la cause du féminisme avait reculé dans le monde. Et c'est quelque chose que je sens socialement. Plus on est averti d'un phénomène, plus on le contourne, moins on le rend facilement identifiable. La misogynie est aussi présente maintenant, mais moins facile à identifier. Il n'y a plus personne qui dit: «C'est une femme, qu'elle retourne à ses chaudrons.» C'est trop

---

ministre d'État au développement de la condition féminine, Lise Payette, qui avait comparé les femmes au foyer aux Yvette de nos livres d'école, qui étaient des « femmes-servantes ».

gros. Personne ne dirait cela. On sait bien que cela ne se dit plus, mais on le pense. Finalement, ce que j'ai retrouvé en faisant des recherches sur les années 36, c'est fondamentalement le portrait de nos années.

Marianna est le personnage central; Mina était trop caricaturale. Je ne voulais pas pousser le débat pour que cela devienne uniquement un débat politique, parce que je ne trouve pas que c'est intéressant au théâtre. Ou alors, tu fais un discours politique. De toute façon, tu ne contrôles pas tout quand tu écris, en tout cas, moi, je ne contrôle rien. J'écris et ensuite je regarde. Je ne peux pas affirmer qu'il y a *une* vérité et qu'il y a *une* chose à faire: je ne sais pas toujours quoi faire. Ça me fait comme: «Pourquoi c'est comme ça, pourquoi on ne voit pas?» Ça me fait pourquoi tout le temps. Il y a aussi beaucoup de choses qui viennent de moi, qui me sont essentielles. Pourquoi on passe à côté des vrais moments, pourquoi on passe notre vie à se dire s'il y avait eu cinq secondes de plus, on aurait pu se parler. On essaie toujours de rattraper ce qu'on a raté, par manque de lucidité, de conscience ou de courage. On le rate de toute façon et on le sait. C'est ce qui est si terrible pour nous. Pour moi, Marianna s'en va vers une défaite. Peut-être que pour nous, en 1980, c'est une victoire, mais pas pour elle. Elle dit: «C'est fini, cela ne sera plus jamais», mais aussi: «Peut-être que c'est pareil ailleurs, peut-être ben que la prière mène partout dans le monde, mais moi je le saurai parce que je l'aurai vu.» Son seul courage est d'aller voir. Mais elle sait... Quand elle dit: «J'espère que ça prendra pas 300 ans», cela veut presque dire que ça va en prendre 250. On est cinquante ans plus tard et on peut dire que tout cela est encore possible, à peu de choses près. Est-ce qu'on a tellement avancé? On ne doit pas se faire trop d'illusions.

J'avais lu *Maria Chapdelaine* de Louis Hémon quand j'avais quinze ans, et j'étais tellement enragée qu'elle aille se marier avec un gars dont elle n'avait pas envie, qu'elle accepte d'être morte, gelée, dans le bout des glaciers, j'aurais hurlé. C'est un mythe qui a soutenu notre fonction de colonisés, qui a perpétué notre colonialisme. Tout le monde s'en est servi, le pouvoir, le clergé. Marianna: dans le sens de non à Maria? Je voudrais bien avoir voulu dire ça, mais ça n'est certainement pas conscient. C'est une fichue de bonne idée, mais je ne l'ai pas eue.

C'était avant la guerre... est une pièce que j'ai failli ne pas finir. Je la dois à mon chum. Parce que lorsque j'ai eu écrit les quatre premières scènes, j'étais dans une colère intense. Je me souviens que je détestais la lenteur du début. La petite atmosphère du passé. «J'en ai assez du passé, Honoré.» Quand Marianna dit cela, ça me vient du fond du cœur. Je m'en veux moi-même d'aimer cela. Je ne peux pas accepter d'être quelqu'un qui va encenser le passé, et ce passé est contenu dans les quatre premières scènes, avant que la petite arrive et dise ce que monsieur a fait, donc avant qu'une action qui, à mon avis, est politique, arrive. C'est un vase clos, un joli vase bleu pâle, mais ça me choquait profondément d'avoir écrit cela. C'est là que mon chum a demandé ce qui arrivait après les quatre premières scènes. Alors je me suis dit: écris-là. Même si je me déçois, ce n'est pas très important. Je sais que je vais toujours être déçue de moi, que je ne serai jamais la perfection que je voudrais être. Si je n'accepte pas cela, je n'écrirai plus jamais. Il faut donc que j'accepte d'être déçue, d'avoir très peur, d'être très étonnée et de souffrir beaucoup. Il faut accepter cela si on veut écrire, parce que c'est un fichu cadeau de pouvoir écrire, de pouvoir enlever la barrière mentale qu'on a dans la vie et de laisser couler là quelque chose qui est de l'essence intérieure. Je trouve qu'on n'a pas le droit d'arrêter sous prétexte que ça ne nous plaît pas.

Écriture et politique

J'accepte les contradictions de l'écriture, j'accepte de prendre un risque énorme à chaque fois. J'ai besoin de ce risque parce que c'est la seule chose pure de ma vie, la seule chose absolue. Pour moi, c'est la seule façon d'être absolu à part mourir. Les gens ne savent pas quel besoin j'ai de jouer, de faire de la mise en scène, d'être en contact avec les gens, avec la vie pour me nourrir, pour continuer à écrire. Si vous me mettez chez moi, dans mon bureau, ça va être fini.

Le succès? Ça fait peur. Ça fait: « Ce n'est pas ça, ce n'est pas seulement ça! » Par exemple, je parle de *Jocelyne Trudelle...* Je me dis que si le public a tellement aimé *C'était avant la guerre...*, il n'appréciera jamais *Jocelyne Trudelle...* et cela me fait quelque chose parce que Jocelyne Trudelle est pour moi une pièce extrêmement importante. Mais il y a une chose que j'ai décidé comme auteur, c'est que même si le public en entier ne reconnaît pas l'intérêt d'une pièce, et il a le droit de ne pas le reconnaître, moi, il faut que je sois consciente que, pour écrire les autres, il faut passer par celle-là. Même si *Jocelyne Trudelle...* ne trouve jamais preneur à cause de sa violence, il faut savoir que jamais, jamais je n'aurais écrit *C'était avant la guerre...* ou n'importe quelle autre œuvre qui peut venir, sans avoir écrit cette pièce-là. Dans ce sens-là, j'ai une indulgence profonde face à mon écriture, parce que je sais que tout sert à continuer. Il y a des choses qu'il faut évacuer dans la vie pour pouvoir continuer. Il y a des douleurs qu'il faut accoucher, des peines qu'il faut avoir, des années qu'il faut perdre. C'est tout. Cela fait partie de l'indulgence que j'ai apprise pour moi. Que les gens ne comprennent pas, ce n'est pas très grave, le monde n'est pas obligé de tout comprendre. J'ai enfin appris cela. Je crois que j'ai une exigence intérieure épouvantable et je me rends compte que je suis difficile à vivre pour les autres parce que je l'ai aussi pour eux. Il faut que cela soit absolu, pur, vrai, pas de mensonges idiots dans la quotidienneté. Je me sens aussi profondément morale, et ça me dérange souvent[5].

* * *

(Entrevue de 1995)

À l'âge de douze ou treize ans, vous êtes devenue révoltée, consciente de l'incompréhension fondamentale qui sépare les êtres, de l'injustice et de la fausseté qui régissent les rapports humains. Cette révolte, dont vous avez investi le personnage de Marianna, est-elle, aujourd'hui, toujours aussi vive, aussi présente en vous et dans vos personnages?

Bref, ai-je changé? Oui, mais ce n'est pas ma capacité de révolte qui s'est apaisée, je la sens toujours bouillir, me cabrer. Je dirais que c'est la nécessité de dire qui s'est doublée d'un doute. En fait, c'est ma foi en la capacité de changement

5. Gilbert David et Pierre Lavoie, «Marie Laberge», *Cahiers de théâtre Jeu*, n° 21, 1981.4, p. 59-62.

des êtres et, par eux, de changement des choses. Très jeune, je croyais que dire, dénoncer, révéler provoquerait une sorte de « mise en demeure » de changer. Maintenant je sais qu'on peut poser infiniment les mêmes questions sans que rien, jamais, change ou qu'aucune espèce de réponse soit apportée. Mais je crois aux questions. Les réponses, elles, sont rares et souvent fragiles, elles peuvent même prendre des allures de dictateurs quelquefois. Les questions et le « non » intérieur qu'elles sous-tendent, la rage légitime devant l'immuable, l'impuissance, l'ignorance et la lâcheté qui les accompagnent, les questions et leur pouvoir de relancer le doute sain, celui qui bouscule la bonne conscience confortablement assise depuis trop longtemps au fond de nous-mêmes, les questions sont mes alliées. J'ai bien peur d'être quelqu'un qui ne se rangera jamais. L'espoir qui brûle au seuil de la révolte ne s'apaise pas. L'espoir qui fait qu'on n'abandonne pas, qu'on poursuit mot après mot, page après page, l'expression de ces personnages qui plaident pour eux-mêmes, pour leur dignité et pour la légitimité de certaines émotions.

Non, je ne m'enrage pas moins, je cible mieux mes attentes. Je n'espère plus changer le monde en deux phrases. Le bousculer, oui. Le déranger, le secouer et lui donner envie de se remettre en question, certainement. Je crois maintenant que toute écriture provient en partie d'une opposition intérieure, d'un conflit essentiel au cœur de soi qui trouve son expression dans un conflit dramatisé avec des personnages. Peut-être que la première personne que je cherche à bousculer et à provoquer, c'est moi-même. Alerter, révéler et se bousculer et, par là, bousculer les autres. Ne pas oublier et ne pas permettre l'oubli.

S'il y a une réponse honnête à votre question, c'est d'avouer que la révolte est aussi vive mais dénuée d'illusions, ce qui ne la rend pas nécessairement impuissante, mais certainement plus lucide.

À seize ans, vous avez compris que « le contrat de vivre », c'était les gars qui l'avaient... Depuis 1981, quelle évaluation faites-vous de l'évolution du rôle et de la place des femmes dans la société québécoise ?

Bizarrement, je trouve qu'on fait encore trop de cas du nombre « grandissant » de femmes qui occupent des postes de pouvoir, ce qui signifie à mon avis que les choses n'ont, encore là, pas tellement changé. L'égalité des chances, l'égalité réelle sera présente quand on n'aura plus besoin de compter et qu'un léger déficit dans un sens ou dans l'autre ne sera plus sujet de discussion. On est loin du compte !

Pour ce qui est du « contrat de vivre », je crois tout de même que ma perception a changé : nous sommes individuellement responsables de notre contrat de vivre. Rien, pas une règle, pas un pouvoir, ne devrait nous éloigner du contrat de vivre que nous nous sommes donnés. Je me souviens de cette perception : les gars avaient le « contrat de vivre » et, nous, celui de les aider à le réaliser... Ils sont peut-être encore piégés avec ce que la société (durement incarnée par leur famille souvent) attend d'eux comme performance. Je crois moins à présent que les hommes ne savent pas exprimer leurs émotions, comme on avait coutume de le dire. Je crois qu'ils s'en sont éloignés pour privilégier l'accession à l'homme qu'ils se croient obligés d'être. Je crois que la société (donc nous aussi, les femmes) a reconduit de nombreuses valeurs très anciennes, incluant en priorité l'obligation pour les hommes d'« être quelqu'un ». Et ce quelqu'un n'est pas nécessairement l'honnête homme au sens donné par le XVIIe siècle, mais plutôt au sens de celui qui réussit, parfois au détriment de ce qu'il est vraiment. Au même titre que certaines femmes sont faites pour exercer le pouvoir, certains hommes ne sont pas doués pour cela. Que la société soit prête à l'admettre ou non, cela n'y change rien. Ce que cela change, c'est la capacité de l'admettre personnellement. J'aurais tendance à croire que les femmes ont fait un sérieux bout de chemin en ce qui concerne l'examen intérieur, les objectifs profonds qu'elles conservent et leur capacité d'arriver à obtenir ce dont elles rêvent. Je parle de leurs vrais rêves, ceux qui viennent d'elles-mêmes, du fruit d'une longue et quelquefois douloureuse réflexion et non pas ceux qui viennent des autres.

Les hommes, ayant été d'une certaine façon à l'abri de l'injustice et de la difficulté de réaliser leurs rêves, n'ont souvent même pas interrogé ce rêve qui leur est parfois imposé depuis des centaines d'années. Tous n'ont pas remis en question la façon de vivre qui est la leur. Tous ne savent pas de quelles émotions ils sont animés. Ce qui ne les empêche pas d'être soumis à ces émotions et de les vivre. Une grande partie de la lutte des femmes leur a échappé parce qu'ils l'ont perçue comme une menace et non pas comme une évolution dont ils bénéficieraient. Le fossé est toujours présent.

Quatorze après la création de C'était avant la guerre à l'Anse-à-Gilles, *croyez-vous toujours que « Marianna s'en va vers une défaite » ?*

J'ai toujours cru que Marianna s'en allait *sur* une défaite, pas vraiment *vers* une défaite. C'est qu'une certaine partie des spectateurs et des lecteurs voulait croire que Marianna était une gagnante, une vraie *winner*... et je persiste à dire qu'elle se voit forcée de quitter l'Anse-à-Gilles à cause de ce qui est arrivé à Rosalie et parce qu'elle n'accepte pas le regard social qu'on va porter sur son amie. Ce qu'elle dit, l'expression de sa révolte est sincère, mais ne fait pas d'elle une gagnante. C'est une femme qui s'est fait avoir qui part. Mais elle part, ce qui est déjà quelque chose. Elle ne reste pas là à considérer tristement sa défaite. C'est le seul aspect «héroïque» que j'y vois. Marianna aurait probablement épousé Honoré et serait restée là si Rosalie n'avait pas été violée. Il y a brisure, cassure du monde pour forcer le changement. Sans cela, les mêmes vieilles valeurs auraient été reconduites, parce que ça prend une force terrible pour changer les choses avant qu'elles ne nous éclatent au visage. C'est ça le malheur: nous avons la capacité de rêver un monde meilleur, mais nous le remettons au jour où l'ancien va s'effondrer au prix d'une souffrance terrible. Marianna fait un peu figure d'exception, mais pas tant que cela et, quatorze ans après, je persiste à croire qu'elle n'aurait pas changé son monde si celui-ci ne l'avait pas blessée à travers Rosalie et si cette blessure n'avait pas ravivé en elle toutes les injustices qui l'avaient déjà exaspérée sans pour autant réussir à la faire partir.

Dans la collection « Théâtre »
dirigée par Marie Laberge

Michelle Allen, *Morgane*

Ralph Burdman, *Tête-à-tête*

Robert Claing, *Anna*

Jean-Marc Dalpé, *Lucky Lady*

Louisette Dussault, *Môman*

Brad Fraser, *Des restes humains non identifiés et la véritable nature de l'amour*

Brad Fraser, *L'Homme laid*

Carlo Goldoni, *La Locandiera*

Anne Hébert, *La Cage* suivi de *L'Île de la Demoiselle*

Marie Laberge, *Aurélie, ma sœur*

Marie Laberge, *Le Banc*

Marie Laberge, *C'était avant la guerre à l'Anse-à-Gilles*

Marie Laberge, *Charlotte, ma sœur*

Marie Laberge, *Deux tangos pour toute une vie*

Marie Laberge, *Le Faucon*

Marie Laberge, *L'Homme gris*

Marie Laberge, *Ils étaient venus pour…*

Marie Laberge, *Jocelyne Trudelle trouvée morte dans ses larmes*

Marie Laberge, *Le Night Cap Bar*

Marie Laberge, *Oublier*

Marie Laberge, *Pierre ou la Consolation*

Imprimé sur du papier certifié FSC.

MISE EN PAGES ET TYPOGRAPHIE :
LES ÉDITIONS DU BORÉAL

CE SIXIÈME TIRAGE A ÉTÉ ACHEVÉ D'IMPRIMER EN SEPTEMBRE 2009
SUR LES PRESSES DE MARQUIS IMPRIMEUR
À CAP-SAINT-IGNACE (QUÉBEC).